PROUST
CONTRE COCTEAU

DU MÊME AUTEUR

Biographies

CHAMFORT, Robert Laffont, 1988 (prix Fénéon ; prix Léautaud ; prix de l'essai de l'Académie française) ; Pluriel, 1990.
COCTEAU, Gallimard, NRF biographies, 2003.

Romans

LE CAMÉLÉON, Grasset, 1994 (prix Femina du premier roman).
LE JEU DES QUATRE COINS, Grasset, 1998.
QU'AS-TU FAIT DE TES FRÈRES ?, Grasset, 2010 (prix Jean-Jacques Rousseau), Livre de poche, 2012.
BRÈVES SAISONS AU PARADIS, Grasset, 2012.

Essais

QUI DIT JE EN NOUS ?, Grasset, 2006 (prix Femina de l'essai), Pluriel, 2008.
BABEL 1990, *Rome, New York, Saint-Pétersbourg*, Gallimard, Folio/Senso, 2008.

Théâtre

LES SALONS (en collaboration avec B. Minoret), JC Lattès, 1985.

Pour une bibliographie plus complète :
http://www.claude-arnaud.com

CLAUDE ARNAUD

PROUST CONTRE COCTEAU

BERNARD GRASSET
PARIS

Illustration de la bande :
Jean Cocteau, *Dessin de Proust*, © Adagp, Paris 2013
– avec l'aimable autorisation de M. Pierre Bergé,
président du Comité Cocteau.
Francis Picabia, *Dessin de Cocteau*,
© Centre Pompidou, MNAM-CCI,
Dist. RMN-Grand Palais/Georges Meguerditchian/Adagp, Paris 2013.

ISBN : 978-2-246-80510-6

Pour Dominique Païni

« La prétendue image intérieure que nous portons en nous de notre propre essence est, de minute en minute, pure improvisation. Elle s'oriente tout entière, si l'on ose dire, d'après les masques qui lui sont présentés (...). C'est pourquoi rien ne nous rend plus heureux que lorsqu'on s'approche de nous avec une caisse de masques exotiques et qu'on nous présente maintenant les plus rares exemplaires, les masques du meurtrier, du magnat de la finance, du grand explorateur. Regarder à travers eux nous plonge dans l'enchantement. »

Walter Benjamin, *Poésie et révolution.*

Avant-propos

Il y a des écrivains que tout concerne et qui rêvent d'attraper l'essence du monde dans leurs filets. Il en est d'autres qui n'ont qu'un objet, sous les masques de la fiction ou du document. Interrogation obsédante, territoire hanté, histoire familiale traumatisante, il ne s'agira que de *cela*.

Une question me rattache aux brumes de l'enfance, malgré quelques avancées vers la « lumière » adulte. Comment devenir soi ? Quelles étapes franchir afin d'élaborer un récit capable de nous représenter, face à autrui, et de nous convaincre simultanément ? Comment nous forger une réalité, sinon en réalisant des livres attestant de notre passage ?

Proust et Cocteau furent hantés par cette question. L'un était affublé d'un moi qui semblait impossible à ramasser, l'autre était sujet à d'irrépressibles métamorphoses. Mais ils avaient une même disposition à s'altérer en présence d'autrui, ou à imiter les écrivains qu'ils admiraient. Et comment témoigner de sa singularité dans un style emprunté ? Devinant des gouffres en eux, ils partirent à la conquête de leur for intérieur, en véritables explorateurs du dedans, se perdirent puis se trouvèrent, presque simultanément.

Peu d'écrivains se sont autant aimés, enviés et jalousés, on l'ignore souvent. Très peu établirent une relation aussi riche en enjeux affectifs, intellectuels et sensibles. Tel un frère élevé une génération plus tôt, Proust montra d'emblée une grande admiration pour ce cadet si précoce. Il aima d'un amour impossible Cocteau, lequel manifestait, à vingt ans déjà, le brio, l'aisance et la facilité qui lui manquaient encore, adulte. Il le pasticha même, faute de pouvoir le prendre dans ses rets.

Comment la situation s'est-elle retournée ?

Pourquoi Proust, un siècle plus tard, occupe-t-il une telle place dans un paysage littéraire que Cocteau semble toujours traverser ?

Proust aurait-il contribué à nuire à son cadet ?

Le premier des autofictionneurs éprouva-t-il le besoin d'éliminer ce modèle ?

Faudrait-il en passer par une forme de crime pour s'assurer une postérité littéraire ?...

Entrons dans les ateliers de la fabrique de soi, une lampe tempête à la main.

Bienvenue dans les abysses humains.

L'éternel nourrisson

On aurait tort de croire que Proust aima sa mère : au sens plein du terme il n'aima jamais qu'elle et ne sera véritablement aimé de personne d'autre. Les soins dont elle l'entoure, l'inquiétude qu'elle trahit au moindre rhume, la peur de ne pas l'avoir fabriqué de façon assez robuste – il a failli mourir en naissant – forment le cadre affectif qu'il ne pourra jamais dépasser. Jaloux de l'amour que lui prend son frère cadet Robert, il apprend à exercer un chantage précoce qu'on pourrait résumer ainsi : *Embrasse-moi encore ou je ne saurais dormir, occupe-toi de moi ou je tombe malade, aime-moi plus que tout ou je me meurs.*

Encouragée par un époux hygiéniste, elle tente de le sevrer ; toujours il revient téter sur ses genoux cette affection primitive dont il n'est jamais rassasié. Elle lui inculque des embryons d'autonomie pour en faire un garçon actif, capable de réussir et de fonder une famille, sportif et volontaire ? Il ne souhaite que mériter encore l'amour dont elle l'entourait exclusivement, nourrisson. Elle l'appelle *mon petit loup* en espérant secrètement lui voir pousser des crocs et des griffes ? Il reste cette brebis glacée qui attend son retour salvateur pour revenir se blottir dans son giron. Les mères abusives s'arrangent pour entraver à jamais leur garçon : Marcel Proust fut un fils abusif qui empêcha sa mère de cesser de le couver. Ce n'est pas elle qui le fit à son insu homosexuel, comme on l'imagine parfois ; c'est lui qui la modela à l'image de ces mères, dont elle n'était pas, qui trouvent profit à voir leur fils ne jamais se marier.

Cet amour fondateur se nourrit de baisers ardents, de confidences esquissées puis reprises, d'échanges incessants sur la musique, la peinture et la littérature. Ayant hérité de sa propre mère une passion pour les écrivains du grand siècle, Jeanne Proust-Weil invoque en toute occasion Racine ou Molière, lit Shakespeare dans le texte et vénère les lettres de Mme de Sévigné à sa fille, comme le fera son fils. Lui seul est capable de la suivre dans ces labyrinthes sensibles et de reconnaître d'instinct un cœur déchiré par l'amour, dans le fameux quatrain de Sully Prudhomme :

Le vase où meurt cette verveine
D'un coup d'éventail fut fêlé
Le coup dut l'effleurer à peine :
Aucun bruit ne l'a révélé.

C'est encore lorsque l'aîné est malade que cette complicité s'exprime le mieux ; en réveillant les inquiétudes fondatrices de la mère, il mobilise son affection, abolit l'existence du père et du cadet, redevient l'unique justification de leurs deux vies. Aurait-il mérité, sans la fièvre et la toux, ces baisers dans le cou et ces lectures prolongées ? Elles seules peuvent lui donner accès au corps maternel tabou dans lequel il semble vouloir revenir achever sa croissance. Ainsi néglige-t-il sa santé pour obtenir ce trop-plein d'amour sans quoi l'existence lui semblerait invivable. C'est en inspirant la pitié, l'empathie ou l'anxiété qu'il existe pleinement.

Ils ne cessent de s'échanger des lettres, même quand ils dorment sous le même toit. Certain d'être le seul récipiendaire de leur forme d'esprit, le *petit loup* entraîne sa génitrice à rire de la balourdise de son cadet, surnommé Dick ou, par dérision, Sa Majesté[1]. Le père lui-même devient un sujet de moquerie légère, comme s'il était immergé dans la vie sans moyen de la comprendre, contrairement à eux. Plus sensible que sa mère, plus nerveux aussi, le jeune Proust cherche à l'extraire du cadre affectif convenu où elle a délibérément choisi de limiter son existence.

Il est *trop*. Trop amoureux de cette génitrice, qui prône pourtant la logique et le raisonnable. Trop sensible aux parfums de fleur ou de femme, comme aux variations de la lumière. Trop attaché aux meubles qui forment le décor apaisant de la maison d'Auteuil où il naquit. Trop généreux avec les domestiques et les clochards,

---

1. Diminutif de Richard, en anglais, Dick est aussi synonyme, en argot, de « queue » et de « con ».

qu'il comble de billets, comme s'il cherchait là encore une reconnaissance disproportionnée. Trop modeste, suppliant et compassionnel aussi[1]...

Il s'inquiète de chacun avec des raffinements de politesse et des *complications de bonté* qui enchantent les vieilles dames mais font ricaner ses amis collégiens. Sa gentillesse collante, insidieuse, les agace ou les dégoûte ; les tournures que prend sa délicatesse exacerbée leur semblent des formes d'affectation et d'hypocrisie. Son verbe est si fleuri, ses élans si outrés que la lecture de ses dissertations leur arrache des fous rires en classe : phrases trop longues, réflexions alambiquées, sensibilité asphyxiante. Un rêve pour les professeurs, un cauchemar pour eux.

Le moindre relent d'aubépine, de tilleul ou de lilas peut déclencher en lui une crise d'asthme, la plus petite contrariété, une crise de nerfs, le simple emménagement dans un lieu inconnu, un accès de panique. Fait pour vivre entre quatre murs, le jeune Marcel ne s'épanouit qu'au centre de la toile sensible que sa mère tisse, dans l'atmosphère *transparente et congelée* de leur demeure : tout le reste s'apparente aux cauchemars qui le réveillent la nuit. Mais cette demande incessante de protection est aussi vécue comme harcelante par la mère. Craignant d'en faire un « efféminé », elle en vient à le reprendre, puis à lui en vouloir en secret, jusqu'à exiger plus de calme, de

1. *Jamais je n'ai moins vu d'égoïsme ou d'égotisme*, confirme un compagnon de jeunesse.

maîtrise, de volonté aussi, suscitant de sourdes rancunes chez lui.

Tout intéresse le *petit loup* en même temps : l'étymologie des noms de villages, les origines médiévales des grandes familles nobles, les hauts faits de l'histoire de France, les épisodes perses et les héroïnes juives des récits bibliques et évangéliques, qu'il apprend au catéchisme sous la supervision d'une mère restée fidèle à la religion des siens, tout en n'y croyant plus. Il adore les tournures locales ou surannées dont usent leurs domestiques, à Paris ou à la campagne, étudie l'accent si particulier des invités à particule de Mme de Caillavet, la vie des insectes et la reproduction des fleurs. Il aime plus que tout sa mère quand elle lui fait la lecture à la campagne, les volets clos, par une belle journée d'été, lorsque la chaleur accroît les distances et gonfle les sons, que toute la nature se fait l'écho des faits d'armes du Capitaine Fracasse et des plaintes d'enfant trouvé de François le Champi.

Adolescent, Proust éprouve le besoin de s'arracher à sa famille, mais ce n'est que pour mieux retrouver au-dehors ce modèle affectif indépassable. S'enflammant pour une jeune femme, il attend chaque jour son apparition dans les contre-allées des Champs-Elysées, désespère à la moindre rebuffade, s'exalte au plus petit signe d'intérêt, l'invente au besoin. Son cœur bat si fort, lorsque l'élue s'approche, qu'il n'éprouve aucun plaisir à son contact. Ce n'est qu'en repartant qu'il retrouve de la joie à évoquer la scène, comme s'il devait être seul pour se l'approprier.

A force de scruter l'apparition de Marie de Bernardaky depuis le balcon de leur appartement, il se persuade que, si elle ne vient jamais l'y visiter, c'est qu'elle trouve leur intérieur sans distinction. Il tente alors de persuader sa mère de changer leurs meubles, comme si une apparence d'élévation sociale allait rétablir la balance des désirs. En le voyant bouleversé par son refus catégorique, elle en vient à craindre qu'il ne se jette dans le vide et finit par lui interdire l'élue.

Le *petit loup* s'attaque alors à ses amis, avec un allant qu'on prendrait pour du courage si une forme d'inconscience ne le poussait plutôt à reproduire le seul schéma affectif qu'il connaisse. Ses camarades de classe s'inquiètent en le voyant approcher, avec ses immenses yeux orientaux. Ils tremblent en sentant sa main humide s'emparer de la leur tandis qu'il leur avoue son besoin vital d'affection, puis les étouffe sous les compliments : il finit toujours par leur demander de pouvoir sauter sur leurs genoux, se lover dans leur cou et les embrasser sans fin, pour se mêler à leurs pensées et recréer la fusion originelle – des exigences immanquablement repoussées.

Après Daniel Halévy, le fils du coauteur du livret de *Carmen*, le jeune Proust tombe amoureux de Jacques Bizet, dont le père a composé ce même opéra. De peur que leur relation ne dégénère, la mère interdit encore au fils de fréquenter son camarade. Décidé à lui prouver qu'il peut faire aussi bien la bête, l'« ange » se rebiffe, exerce ses premiers chantages explicites à la maladie, lui rend la vie infernale, obtient le pouvoir de le rencontrer loin de leurs lieux de vie respectifs…

Tout en pudeur, discrétion et tact, Jeanne Proust fait comme si elle n'avait pas deviné ses désirs. Mais lui-même est si conscient de ceux-ci qu'il couvre ses amis de lettres justifiant sa « pédérastie » par les antécédents de Socrate, de Verlaine, de Rimbaud, tout en la noyant dans des généralités fumeuses où tout se vaut, l'amour pour un camarade, un père ou une femme.

Quand, rendant visite à ses amis, il croise leur mère, il cherche de fait la même réponse inconditionnelle qu'il exige de la sienne – une forme d'absolutisme que ces femmes-foyer peinent elles-mêmes à envisager. Comme s'il avait le pouvoir de projeter ses désirs dans le temps, en les permutant sexuellement, de les faire remonter à leur source généalogique, de parer la mère de tous les atouts biologiques du fils.

Repoussé de toutes parts, le jeune Proust devient méfiant, cachottier, capricieux. Il exagère, s'hystérise, renchérit dans l'exhibitionnisme, embarrasse jusqu'à sa génitrice, qui déplore son goût pour les auteurs sentant le soufre – Baudelaire, Dostoïevski. S'il pouvait devenir un peu plus réaliste, se borner, s'endurcir ! Pour cette femme austère, marquée par une forme laïque de jansénisme, ces excès sont péché.

Il a beau vanter l'amour platonique à Mme Straus, la mère de son ami Jacques Bizet, il convoite ardemment ses proies. Mais l'absence de réponse affective avive sa peur de ne parvenir jamais à rien. Il s'unit en pensée à l'être convoité, se manuélise avec frénésie. Très attentifs à son essor physiologique, ses parents finissent par s'en inquiéter, réveillant de secrètes culpabilités victoriennes qui reviennent nourrir sa crainte de déplaire à celle qu'il aime plus que tout. Le père insistant pour qu'il aille voir des femmes faciles, un ami l'entraîne dans un bordel, au sortir du lycée Condorcet, mais la tête de *criminelle* de la tenancière le traumatise. Il a l'impression de laisser là une partie de son être moral, à en croire le récit qu'il en fera dans *Jean Santeuil.*

Dénoncé par ses amis, Proust en vient à ne plus s'attaquer qu'à leurs maîtresses. Mais il se montre là encore d'une audace embarrassante avec elles, comme si l'assurance de leur inaccessibilité lui donnait des ailes. Il demande une de ses photos à la fiancée de Gaston de Caillavet puis, devant son refus, intrigue auprès de ses oncles et cousins pour leur en soutirer d'autres, perd un temps inouï avec des gens qu'il sait être des *raseurs*, mais qui ont l'immense avantage de posséder la clef du tabernacle. Il gave cependant l'élue d'images le représentant en diverses tenues, finit par horrifier les parents qui voient en lui un Lovelace particulièrement vicieux...

Dérouté par sa capacité à s'enticher, le jeune Proust est le premier à se dénoncer à ses camarades, comme s'il se jugeait dans leurs yeux : « Connaissez-vous M.P. ? écrit-il à Robert Dreyfus. Je vous avouerai pour moi qu'il me déplaît un peu, avec ses grands élans perpétuels, son air affairé, ses grandes passions et ses adjectifs (...). Le fâcheux c'est qu'en quittant B. qu'il a choyé, il va cajoler D., qu'il laisse bientôt pour se mettre aux pieds de E. et tout de suite après sur les genoux de F. Est-ce une p..., est-ce un fou, est-ce un fumiste, est-ce un imbécile ? M'est avis que nous n'en saurons jamais rien. »

Rejeté par ses égaux, le *petit loup* cherche l'adoubement de ses supérieurs. Quoique encore mineur, il commence à fréquenter des salons peuplés de vieillards académiques, de dames titrées et d'aventurières. Ce zèle nouveau indigne ses amis de Condorcet, avec qui il composait des revues littéraires artisanales ; ils ne comprennent pas son avidité maladive pour ces lieux sentant la poussière, que fréquentent parfois leurs mères, quand elles ne les tiennent pas. Mais il est trop heureux de croiser chez celle de Gaston, Mme Arman de Caillavet, une gloire comme Anatole France, son romancier préféré, pour suivre leurs remontrances. Il se fait le courtisan exalté de comtesses et de ducs, comme s'il s'agissait de demi-dieux ayant choisi la France pour descendre sur terre et enchanter la IIIe République.

Qu'importe les moqueries ! De retour chez lui, le jeune Proust a l'assurance de retrouver celle qui ne manque jamais de rappeler qu'elle l'étreint tendrement. Un *fil délicieux* les unit, et jamais cordon ne fut plus souple et résistant à la fois. Le *petit loup* a beau tomber amoureux de ses camarades, s'inventer des rendez-vous galants avec des « cocottes », courtiser d'innombrables femmes mûres, c'est toujours vers Jeanne Proust qu'il revient pour obtenir une *biographie complète* des dames qui tiennent salon, et cette approbation sans quoi il ne peut vivre. Il n'y a que dans son giron, au milieu d'un cumul de meubles, de tableaux et de papier peint, qu'il se sent chez lui.

Il lui arrive bien de douter de leur amour, de feindre d'en douter plutôt, lorsqu'elle tente d'acquérir un semblant d'autonomie ou le met en garde contre sa boulimie mondaine. Elle est alors la première à lui répondre : *Tu oses dire que je ne lis pas tes lettres quand je les lis, relis, regrignote tous les petits coins et puis le soir tâte encore s'il reste quelque chose de bon à savourer.* De fait, elle est toujours prête à s'abolir pour tenter de combler son fils, à redevenir *personne* pour qu'il devienne enfin *quelqu'un*.

Les exigences matérielles et financières redoublent. Il l'oblige à se déplacer d'urgence pour lui expédier la cravate qui lui manque, en villégiature loin de Paris, devient tyrannique quand elle tente d'interdire à leurs domestiques d'assurer son couvert ou son chauffage, lorsqu'il s'obstine à recevoir en pleine nuit ses amis. La brebis se fait *loup* pour de bon, lance des phrases atroces, en vient à briser des vases.

Ce tyran affectif ne quittera l'appartement familial qu'un an après la mort de sa mère, survenue en 1905, alors qu'il a déjà trente-cinq ans passés ; encore continuera-t-il de s'entourer de leurs meubles en emménageant au 102, boulevard Haussmann. Leur laideur même l'attendrit, tant elle est chargée de souvenirs ! Ces banquettes (faussement) Empire perpétuent le passage sur terre de la femme la plus remarquable, de l'affection la plus vraie qu'il ait jamais connue – la seule qui ne lui inspirera aucun soupçon.

Perpétuant au-delà de toute durée connue son deuil, il s'en rendra définitivement malade avant de s'immerger dans l'écriture.

J'avais toujours quatre ans pour elle, confiera-t-il.

Un être-pour-les-autres

Toutes les fées sociales et esthétiques s'étaient penchées sur le berceau du jeune Cocteau, à sa naissance en 1889. Un hôtel particulier dans le quartier de l'Opéra, une villa lovée dans les haras de Maisons-Laffitte, de la fantaisie, des moyens et du goût, les Cocteau-Leconte relèvent de cette bourgeoisie teintée de bohème où naquirent tant de peintres, d'écrivains et de musiciens d'alors. Un temps agent de change, Monsieur cumule assez de rentes pour se consacrer en dilettante à la peinture et au dessin. Excellente pianiste et fine lectrice, son épouse connaît des pans entiers du répertoire, qu'elle chante à l'occasion, pose devant l'objectif de Nadar fils et le chevalet de Jacques-Emile Blanche ; son mari est l'humble escorte de cette femme d'exception qui invite chaque semaine des musiciens à jouer chez eux, des écrivains et des peintres à manger à leur table, et fraie le reste du temps avec l'aristocratie. Contrairement au ménage Proust, qui ne fréquente que son seul milieu, les Cocteau voient large.

Ayant déjà élevé un fils et une fille, ils se distraient en

compagnie du petit dernier. Gaie, sûre d'elle et sociable, Mme Cocteau lui donne d'emblée une éducation artistique qui l'éloigne de l'école, trop rigide à son goût, tout en lui entrouvrant les portes qu'elle ferme d'ordinaire. Elle qui a hérité de l'instrument de Rossini l'initie au piano et au solfège tandis qu'il apprend à dessiner en regardant faire son père. Chaque semaine au théâtre, au concert ou à l'opéra, ils lui insufflent un intérêt précoce pour l'art, sans être assez riches pour lui offrir la chance accablante d'un Proust, qui n'eut jamais à travailler pour vivre et divorça d'emblée du monde réel. Etrangers à tout puritanisme, ils lui lèguent une culture joyeuse, éclectique et peu intimidante contre laquelle il ne pensera jamais se dresser : contrairement à Proust, son aîné de près de vingt ans, le seul milieu dont Cocteau rêvera est le sien…

Voir partir ses parents en frac et en robe longue pour le Palais Garnier, après la Comédie-Française, les saluer de la main alors que sa mère glisse les doigts dans d'interminables gants, revenir embrasser *sa paume nue* à travers leur petite lucarne de cuir exalte le jeune Jean : ces départs parfumés suggèrent à son imaginaire d'enfant un au-delà mystérieux qui lui paraîtra toujours plus désirable que la triste réalité. Les spectacles qui le privent de sa mère, il s'habitue à les rejouer grâce aux programmes qu'elle lui ramène, la nuit ; et si par chance une scarlatine le cloue au lit, sa fièvre à mettre en scène redouble. Improvisant décors et costumes à l'aide de bouts de chiffon ou de carton, il devient à tour de rôle les acteurs et le régisseur, en disciple involontaire de cet *art total* wagnérien où le drame, la musique, la poésie et la chorégraphie se fécondent.

Ingénieux, répond-il, quand on lui demande ce qu'il voudrait être plus tard. Les choses inventées lui semblant plus crédibles que les faits avérés, fabuler lui est naturel. Né pour être enfant, comme d'autres jaillissent adultes, il baigne dans la ferveur culturelle ambiante. Jamais l'art n'a semblé si vital à tant de gens...

Dégagés de toute obligation par leurs revenus, des milliers de bourgeois consacrent leur temps à vivre à l'écoute des musiciens, des poètes et des peintres, quand ils n'abandonnent pas toute activité pour écrire, peindre, composer à leur tour. Le même phénomène touche Vienne, Berlin, Londres ou New York, mais il prend un tour extrême à Paris, capitale d'un Etat devenu officiellement laïc en se séparant de son Eglise majoritaire et en faisant de la Trinité associant littérature, peinture et musique un culte national de substitution. Le royaume enchanté de ses parents inspire ainsi au jeune Cocteau les impressions qui vont nourrir l'effort artistique démesuré qu'il va fournir, un demi-siècle durant.

Il a huit ans quand son père se suicide, d'un coup de revolver dans le lit conjugal. La jolie veuve reporte son affection sur ce dernier-né si vivace, avec qui elle n'évoquera plus jamais le drame. Autoritaire et coquette, mélancolique et mondaine, elle le façonne à son image, lui instille ses goûts, ses inquiétudes, son narcissisme. Jamais mère ne se plaindra autant d'être délaissée ; jamais fils ne donnera plus assidûment de ses nouvelles : une lettre par jour en vacances, parfois redoublée d'une carte postale montrant l'hôtel qu'il occupe, la chambre où il dort, la vue qu'il découvre au réveil. Le petit prince choyé associe sa mère à chacun de ses gestes, anticipe ses craintes, observe le monde avec *ses* yeux, vit selon *ses* critères.

Ils ont le même nez pointu, le même visage aigu de fouine, les mêmes cils frémissants. La ressemblance frappe quand ils jouent du piano à quatre mains : en cessant de sacrifier sa chevelure, le fils pourrait remplacer la mère devant l'état civil. Son teint bistre et ses yeux oblongs lui donnent en même temps un côté hindou qui enflamme son imagination. Un physique aussi étrange aurait-il pu surgir dans une simple famille d'agents de change normands ? Georges Cocteau était si doux, si faible aussi...

Déjà il s'imagine moins le fils de son père que l'enfant oublié d'un diplomate oriental lié à son oncle ambassadeur, ou d'un archéologue ayant mené des fouilles en Perse – Mardrus vient de traduire *Les Mille et Une Nuits*...

Sa tendance à l'affabulation s'épanouit. Le mécanisme qui le poussera à toujours réinventer sa vie l'encourage à faire de lui un être hors du commun, *provisoirement réalisé* dans le corps d'un Parisien ayant vu le jour pour le centenaire de la Révolution, mais apte à prendre d'autres formes. Exalté par sa plasticité existentielle et l'étendue de ses dons, il se convainc qu'il pourrait tout devenir et se voit déjà assimilé aux illusionnistes en vogue à Paris.

Il fait ses classes au lycée Condorcet, comme Proust, tire aussi profit de cet établissement pilote, l'un des rares où la République mise sur l'esprit d'initiative des élèves. Fasciné par la désinvolture brutale d'un condisciple, l'élève Dargelos, il s'en amourache jusqu'à absorber son essence, en *larve avide d'amour*, avant de mythologiser ce voyou fatal dans *Les Enfants terribles*. Tel un bonhomme en fil apte à prendre dans ses méandres toute figure désirable, il en vient à perdre tout centre et tout poids, à se dissoudre dans ce sujet d'adulation. *Il n'y a que mon amour pour toi qui m'accroche à quelque chose de vrai*, dit-il en retour à sa mère, *le reste me semble un mauvais rêve.* Au bout du cordon originel se tient l'ultime réalité de cet homme d'air, qu'elle aussi craint de ne pas avoir tout à fait *fini*.

N'ayant qu'à confier sa tristesse pour qu'elle s'en afflige à son tour, il apprend à garder le silence pour l'épargner, mais se réveille plus mélancolique encore ; le devinant d'instinct, elle le harcèle de questions et finit par tout apprendre. Ils s'enfoncent dans une spirale dépressive dont ils ne ressortent que par un surcroît d'amour partagé, qui les fait ressembler à un être à deux têtes. *Est-il* (...) *ménage plus doux et plus cruel, ménage plus fier de soi, que ce couple d'un fils et d'une mère jeune ?* demandera-t-il dans *La Machine infernale* ; il n'y en eut guère de si complice, ni de si étouffant. *J'adorais ma mère*, confirmera Cocteau plus tard, *non parce qu'elle était ma mère, mais parce que c'était une femme étonnante.*

Il fait ses débuts dans la société à son bras et s'impose

en petit mari, comme le jeune Proust rêvait de le devenir pour sa mère. *Un peu caustique sans amertume*, Eugénie Cocteau devient la confidente de ses premiers succès. Elle connaît assez bien la société pour rire de ses « ténors » et possède assez de fantaisie pour perpétuer, aux yeux de son puîné, l'époque bénie de l'enfance ; Jean Cocteau s'efforcera toujours de vivre dans le refuge d'une *féerie crédule comme dans le ventre maternel.* La dépendance financière redoublant le lien affectif, le lien filial prendra un tour ouvertement amoureux : *Toi, je t'adore*, souffle à sa mère l'adolescent, bien plus distant avec son frère et sa sœur.

Elle a deviné ses préférences sexuelles, mais n'a guère plus cherché à les combattre que Mme Proust. Certes elle peut s'emporter, en apprenant qu'il sort poudré et maquillé au bras de l'acteur Edouard de Max, dont la popularité vaut celle de Sarah Bernhardt. Mais si elle fustige ces ridicules vestimentaires, elle n'a jamais de remarques désobligeantes sur ses goûts, comme si les nommer serait leur donner trop d'importance.

En le voyant se passionner pour une actrice de boulevard, de quelques années son aînée, elle intervient en revanche durement. Traitée de *poule*, la pulpeuse Madeleine devient l'incarnation vivante du corps tabou. Comme si le danger venait plus d'une éventuelle rivale érotique, qui fragiliserait le couple qu'ils forment en ville, que d'un compagnon que le jeune Jean s'efforcerait évidemment de cacher. Et qu'elle pressentait, en vraie mère abusive, une moindre menace dans ces amours-là.

Compréhensive pour les « mœurs » de son fils, dès

lors qu'elles restent tues, virtuelles et donc peu probables, elle fait preuve d'une ouverture d'esprit qui la distingue des bourgeoises de son milieu et la situera toujours, aux yeux de son fils, bien au-dessus d*es femmes snobs et pédantes.* Elle craindra néanmoins sa générosité excessive et sa tendance à adopter trop facilement ses « amis », à l'égal de Mme Proust ; comme cette dernière, longtemps seule à trouver du génie à son fils, elle donnera confiance au sien dès ses premiers balbutiements artistiques : qu'il écrive, dessine, photographie ou danse, elle flairera à juste titre le prodige. Plus légère et fantaisiste que Jeanne Proust, si convenable en comparaison, elle s'impose comme l'exemple accompli de cette bourgeoisie qui voit la musique, la littérature et parfois la peinture d'alors s'inventer dans ses hôtels particuliers.

Tribus étouffantes, lieux saturés d'objets, mères plus-que-présentes, maisons accueillant trois générations sous un même toit, jamais on ne vit autant d'enfants asthmatiques et de prodiges rhino-allergiques. Encore ignorant de ses ressorts incestueux, le triangle œdipien s'exhibe – papa règne, mais maman brille si fort que le petit rêve de la lui reprendre –, en suscitant des sensibilités aussi excessives que celles de Marcel Proust et de Jean Cocteau. Elle-même issue de cette asphyxie, la psychanalyse a contraint depuis les acteurs familiaux à interpréter avec plus de sobriété leur rôle ; ils s'exhibent alors avec une force irrésistible.

Jamais enfin le sens de l'histoire, à la fois familiale et nationale, n'a été aussi développé. Nul être, nulle œuvre n'existe ici sans le continuum historique qui a conduit à sa naissance et qui seul justifie son existence. Une intense réverbération temporelle entoure toute apparition humaine et toute affirmation culturelle : le présent n'est jamais que la réexpression d'un passé célébré, qu'on s'honore de relancer, recréer ou pasticher : Proust et Cocteau en seront les plus parfaites illustrations.

Poussé par sa mère, galvanisé par sa classe, ce dernier a déjà accès, à dix-sept ans, à la plupart de ses dons. Il dessine à merveille, danse avec grâce, signe d'excellents poèmes, esquisses des arguments de ballet et des plans de tragédies, rayonne virtuellement sous toutes les formes. Les conques de ses oreilles amplifient les roulades des rossignols et les hurlements des trains ; ses narines se dilatent aux moindres effluves de glycine, isolent *le gouffre frais* que sculpte dans l'air le parfum des lys ; ses yeux de mouche perçoivent les petites pattes roses que les pigeons crispent sous leur ventre, et jusqu'aux papillons que sa nuque lui cache ; deux mots lui suffisent à exprimer ce qu'il y a d'insupportable dans le seul fait d'être en vie. Son territoire imaginaire s'emplit de palais où dansent des Salomés languides, de forêts où faunes et fées se pourchassent, de lacs où se mirent des éphèbes, toute une Antiquité revue par le symbolisme. Adoubé par les célébrités qu'il croise avec sa mère, encouragé par tout ce qui écrit, pense et compose dans le Paris de 1905, il s'imagine déjà un destin hors du commun.

Il n'aime ni son physique, ni sa nature, en même temps. Sa beauté lui pèse, comme si elle cachait une laideur informulée. Cherchant l'approbation qu'il se refuse dans le regard des passants, il accorde au premier photographe venu la possibilité d'améliorer ses traits, cherche à reprendre ceux-ci dans toutes les glaces. Ce *moi* sans contour trouve dans les pupilles d'autrui une chambre d'échos visuels permanente. Anxieux d'approcher son point aveugle, il essaie parfois de couvrir sur 360° cette galerie, mais seul l'œil de mouche d'un Proust pourrait embrasser une telle diversité. Les miroirs se contentant de le *réfléchir* sans le penser, il s'en voit sans cesse renvoyé au mystère qu'ils démultiplient.

Sartrien avant la lettre, le jeune Cocteau est un être-pour-les-autres qui cherche dans leur approbation la légitimité qu'il se retire en changeant sans cesse. S'oublier, se quitter même, lui est en même temps impossible. Il s'entend parler et respirer, se voit dessiner, courir ou aimer avec une précision inquiétante, comme s'il avait le pouvoir de se scinder en deux pour s'observer.

Sa vérité tiendrait-elle dans l'impossible addition de tous les êtres qu'il devine en lui ? Dans le doute, il interroge des yeux le premier venu pour saisir ce regard inaugural qui sait être si clairvoyant. Quand cet autre est beau, fort ou prestigieux, il se fige sur-le-champ. Cessant de se chercher, il se reconnaît dans cette perfection humaine pétrifiée et en fait un objet de désir ; une vie plus heureuse l'attend dans ce corps envié.

Son désir le plus ardent, dès lors, est moins d'embrasser que de *devenir* celui ou celle qu'il a élu. Espérant se parfaire par cooptation, il valorisera autrui en le décrétant volontiers plus beau, fort ou viril que lui ; Narcisse incapable de s'aimer, il dépend de lui pour s'offrir une image magnifiée. Un ange tombé sur terre avec un sac rempli *d'ailes de rechange*, dira-t-il de lui-même.

Il y a des écrivains capables de s'insinuer dans quiconque, de se faire paysan ou ivrogne et d'y gagner encore en puissance, tels Hugo ou Tolstoï ; la nature de Cocteau le poussera toujours à investir des personnalités hors norme pour assurer sa croissance.

Proust sera l'une d'elles, mais non la plus influente, pour finir : il vivait trop le même besoin pour ne pas paraître *inidentifiable* à ce dernier.

La rencontre

Cocteau ne sut jamais où il avait vu la première fois Proust. Etait-ce rue de Bellechasse, chez Mme Alphonse Daudet, la veuve de l'auteur des *Lettres de mon moulin* ? Dans l'hôtel du parc Monceau de l'aquarelliste Madeleine Lemaire, *la femme qui a créé le plus de roses après Dieu*, où peintres et aristocrates se croisent ? Chez Marie Scheikévitch, qui réunit le gratin cultivé ou, comme cela semble plus probable, chez Mme Straus, la veuve du compositeur de *Carmen* ?

A moins que ce ne fût sur les banquettes rouges de Larue, le restaurant où l'on soupait en sortant du spectacle, avant de finir chez Maxim's...

La moustache noire de Proust barrait déjà son visage olivâtre, entre son regard de gazelle et son sourire las. Mais avait-il les cheveux en brosse ou la raie au milieu ? Etait-il encore glabre et pâle *comme un œuf de Pâques* ou portait-il cette étrange barbe noire qui le faisait ressembler au président Carnot mort ? (*Il la mettait et enlevait aussi vite que ces fantaisistes qui, en province, imitent les hommes d'Etat*, dira Cocteau.) Devenu entre-temps la mémoire du milieu qu'il commençait de décrire, Proust semblait hanter rétrospectivement chaque salon.

C'était à la fin de 1909 ou au début de 1910, cela du moins semble certain. Cocteau lui-même avait vingt et un ans, Proust, tout près de quarante. Leur rencontre dut leur paraître aussi aisée qu'évidente, car ni l'un ni l'autre n'a jugé utile de la décrire. Sans doute les récits admiratifs de Reynaldo Hahn, le musicien chéri des salons, et les confidences de Lucien Daudet, le fils d'Alphonse, qui formaient la garde rapprochée de Proust, avaient-il donné à ce dernier l'impression de connaître déjà Cocteau : ils lui avaient tant vanté sa vélocité intellectuelle, son agilité sociale et son tact frondeur !

Aussi admiratifs l'un que l'autre, Hahn et Daudet fils traitent déjà *le petit Marcel* avec les égards dus au génie qu'il est loin d'être encore, aux yeux de Paris. Qu'importe si la musique du premier est déjà jouée bien au-delà de l'Europe et si la singularité du second pousse régulièrement Proust à se dire influencé par son style : ce sont eux qui le célèbrent dans une ville qui ne voit toujours en lui qu'un chroniqueur mondain fait pour décrire interminablement les fêtes du comte de Montesquiou dans *Le Figaro,* ou l'un de ces amateurs fortunés habiles à commenter l'œuvre d'autrui, bien plus qu'à produire la leur.

Proust a beau avoir publiquement annoncé se consacrer à l'écriture, deux ans plus tôt, et avoir publié les poèmes, les pastiches et les portraits des

Plaisirs et les jours, il n'a pas convaincu. Il évoque depuis si longtemps son *work in progress* – c'est sa troisième tentative – que le milieu de Mme Cocteau doute même de l'existence de ce grand œuvre, ou n'y voit qu'un prétexte à d'interminables *téléphonages* et autres enquêtes généalogiques inopportunes. Quand il ne réduit pas Proust à un snob affichant d'insupportables prétentions littéraires pour s'infiltrer dans *leur* monde.

Ce fut sans doute Lucien Daudet qui servit d'introducteur à Cocteau, après s'être fait le chantre précoce de ses talents et lui avoir offert le peu de confiance en lui qui lui manquait encore. L'estimant d'un meilleur milieu que Proust, fils d'une Juive que son mariage avec un professeur de médecine catholique a inégalement « blanchie », Daudet avait introduit largement ce cadet de onze ans. Moins compliqué, moins gaffeur aussi, et d'un goût plus sûr que Proust, lequel se contente de meubles hideux et de vêtements approximatifs, Cocteau avait d'emblée été reçu dans le salon de sa mère. Quoique le lieu se soit figé depuis la mort d'Alphonse Daudet, l'éclat de *Tartarin de Tarascon* et du *Petit Chose* y attirait encore la fine fleur de la vieille littérature, et le jeune Cocteau avait été vite adoubé. Impatient de devenir un personnage, autant qu'un poète, il marchait depuis sur les brisées de Lucien Daudet, cet ami exquis à qui il va prendre l'habitude de ponctuer ses phrases en dressant l'index, tel le *Saint Jean Baptiste* de Vinci, comme si ses vues *foudroyantes* lui venaient du ciel.

Or Proust a toujours prisé l'intelligence synthétique, la sensibilité exacerbée et le discernement littéraire de ce *beau jeune garçon, frisé, lingé, pommadé, peint et poudré*, dont parle Jules Renard. Assez fin pour influencer les opinions d'un milieu dont il maîtrise parfaitement les rouages, Daudet-le-petit ne se met pas très haut, pourtant. Proust a beau l'encourager à écrire, et l'estimer bien plus doué que lui-même, il éprouve rarement le besoin de publier. Sans ambition, malgré un réel talent de peintre – cet élève de Whistler laissera un excellent portrait de Montesquiou –, il disperse en nabab ses dons. Toute forme d'engagement intime menaçant le détachement aristocratique qu'il entend opposer à tout, ce précieux préfère s'entourer d'êtres *à se damner*, quitte à *périr d'ennui* dès qu'il n'a plus l'espoir d'en croiser. *Les hommes que tu vois sont des héros, des hiérophantes, des demi-dieux, des femmes, des fées, des princesses, des saintes*, avait lancé le Sâr Péladan aux visiteurs du sixième salon de la Rose-Croix de 1897 : si la naissance avait donné à Lucien Daudet la chance d'en être, il aurait été comblé. Victime de *ce goût surajouté de propriétaire terrien, voire un peu jardinant* dont parlera Proust avec son affectueuse perversité, après l'avoir en vain aimé, il se contente de tenir l'ombrelle flatteuse d'Eugénie, la veuve de Napoléon III, quatre-vingt-six ans...

Proust avait passionnément recherché le jeune Lucien Daudet, ses grands yeux bruns et ses longs cils, son sens de l'absurde et ses dons d'imitateur. Communiant dans un même snobisme masochiste – *Lorsque je dîne en ville, j'aime être en bout de table, c'est la preuve que je suis chez des gens bien*, dit Daudet –, ils partageaient d'innombrables fous rires nocturnes, aussi électriques qu'épuisants. Daudet ne désirant que les garçons du peuple, la frustration avait fini par épuiser les attentes de Proust, mais la complicité avait survécu à la déception.

Reynaldo Hahn a pu aussi servir d'intercesseur, lui qui a connu Proust à l'âge de dix-neuf ans. Ce musicien exquis compose des mélodies hésitant entre le lied et le cantique qu'il accompagne de sa voix de velours. Judéo-catholique lui aussi, ce fils de famille vénézuélien a commencé à chanter à six ans dans le salon de la princesse Mathilde, l'amie de Flaubert, et les dames de la plaine Monceau languissent depuis en vain en entendant sa voix vaporeuse ; les hommes eux-mêmes s'amollissent à l'écoute de son piano.

L'insondable nostalgie émanant de ce *Soleil de minuit* était entrée en phase avec le tempo nocturne du jeune Proust. Quand le musicien murmurait en sourdine : *Ton âme est un lac d'amour dont mes désirs sont les cygnes*, le cœur de Marcel se liquéfiait. Hahn figurait l'artiste qu'il n'avait su devenir, le détenteur des dons qui lui manquaient, le double qu'il couvrait de petits noms – *My little Master*, *Binibuls*, etc. Il était le maître que son *petit poney* attendait sagement le soir, et dont le succès lui était plus cher que tout, l'astre guidant l'esprit du jeune romancier qui allait faire de lui le pivot de *Jean Santeuil*, cette matrice inaboutie de la *Recherche*. Maternant le musicien jusqu'à lui donner du *mon cher petit* ou du *mon enfant*, Proust avait fait de Hahn, pour finir, le plus fructueux de ses amours impossibles.

Au terme d'années de passion triste, le *petit loup* avait donc reporté ses sentiments pléthoriques sur Lucien Daudet. Le dandy à la beauté hautaine était devenu l'idole incarnant toutes les vertus dont il se croyait à jamais privé. Quoique Daudet n'ait pas tardé à fuir aussi cette vénération asphyxiante, il restait assez attaché à leurs idéaux communs pour voir dans le jeune Cocteau leur parfait héritier. Et Proust avait ouvert tout naturellement ses portes à ce cadet dont tout Paris célébrait déjà la vivacité mercurielle.

Le fracas des Ballets russes servit de catalyseur à la rencontre. Découvrant Nijinski et Karsavina durant la répétition générale des *Danses polovtsiennes du Prince Igor*, aux côtés de Lucien Daudet, Cocteau chante partout les louanges de cette troupe venue des steppes. Gagné par l'excitation que suscitent les Russes, qu'il compare à l'électricité qui entourait l'affaire Dreyfus, Proust fait des ballets de Diaghilev, peuplés de sultans et d'hétaïres, l'expression ultime des rêves orientaux de sa galaxie amicale. Avec ses airs de prince persan, Cocteau achève de donner une touche asiatique à la silhouette d'émir de Daudet-le-petit ou aux allures de *radjah vêtu à l'européenne* que Proust prend lui-même, quand il glisse sous sa barbe noire ses plastrons blancs.

L'enthousiasme de Cocteau s'adresse d'abord à Nijinski auquel Proust préfère Karsavina, qu'il raccompagne dans la nuit, *vert, poli et timide comme un fantôme.* Mais tous deux subissent la fascination qu'exerce la personnalité féodale de Diaghilev, avec ses rires énormes, ses intrigues byzantines, ses rancunes monstrueuses. Baryton raté et musicien avorté, l'imprésario sait imposer à tous sa volonté, à travers des colères dignes d'Ivan le Terrible. Comique à force de sadisme, Diaghilev s'impose à eux comme un objet de vénération bouffonne.

Certain qu'un souffle sacré anime chaque être, Proust continue d'interpréter le Paris d'Haussmann à la lueur des mythes anciens. Dans les duchesses du faubourg, il voit des divinités masquées dignes de la reine de Saba, et dans les forts des Halles qu'il croise parfois à l'aube, de lointains héritiers d'Hercule, avec leurs massues ensanglantées. Mais il aime aussi se défaire de ces outrances, comme du souvenir de son obséquiosité publique, en disséquant ces échantillons humains avec cette cruauté teintée de dérision propre à la culture homosexuelle d'alors.

D'une drôlerie *à faire pleurer un marbre,* aux dires de leur ami Jacques Porel, Cocteau aime tout autant tourner en ridicule les sommités sociales qu'ils encensent dans les salons. Le « meurtre » accompli, leur plus grand plaisir est de ressusciter ces victimes par des imitations plus féroces encore, afin de s'assurer un contrôle « posthume » sur ces modèles envahissants, comme Proust le fera en les transformant en papillons littéraires supérieurs. A moins que Lucien Daudet, qui imite son ami Marcel à merveille, ne vienne à son tour contrefaire ce dernier lorsqu'il imite Diaghilev...

Proust agissait devant un nouvel interlocuteur comme avec un étranger, à entendre Lucien Daudet. Il s'efforçait de le comprendre, puis se mettait à parler *sa* langue, pour éviter de l'humilier. Cette langue étant en général plus fruste que la sienne, il apprenait vite à la maîtriser. Mais Cocteau parle le même type d'idiome que lui et ses formules saisissantes le ravissent. *Sa causerie pleine de trouvailles* a le don de déclencher ces fous rires qu'il retient de la main, avant de s'en barbouiller la barbe, en pouffant *comme derrière un éventail de femme*, Cocteau dixit. Ces moments d'hilarité l'aident à traverser la nuit, seul lieu qu'il habite avec un plaisir garanti désormais, quand ils ne le ramènent pas aux jours où il croyait encore en la vie. Jugeant Cocteau *très remarquablement intelligent et doué*, il vante partout l'étendue de ses dons et l'emprise de ses yeux *fascinateurs*. Ils ne sont pas si nombreux, les écrivains amusants ; Proust et Cocteau eurent d'emblée la chance de se faire rire aux larmes.

Déjà familier de son cercle social, des frères Bibesco à Louis Gautier-Vignal, Cocteau intègre définitivement la garde rapprochée proustienne, adopte ses rites et ses jeux. L'osmose se fait d'autant mieux qu'il a hérité en partie des valeurs qui soudèrent le trio Proust-Hahn-Daudet aux alentours de 1900, quand le symbolisme s'était dressé contre le matérialisme étroit de la civilisation industrielle et le scientisme assez prosaïque d'une bourgeoisie fière d'avoir percé les mystères de la nature. Rêvant plus que jamais d'un royaume peuplé de délicats et d'excessifs, il paraît l'enfant des Mercures androgynes, des Narcisses blêmes et des Orphées volants qu'exaltait, vingt ans plus tôt, une génération imbibée d'ésotérisme.

Proust sait tisser d'extraordinaires toiles sensibles autour des êtres qu'il veut retenir. Il excelle à les enrober d'une chaleur flatteuse – lui qui a si souvent froid ! –, en les rendant captifs de flux *schéhérazadesques* régulés par un système d'écluses syntaxiques dont Cocteau va rendre magistralement le débit. Les frontières le séparant des autres sont si peu marquées qu'il entre en eux à volonté. Mais il s'interdit de prime abord d'abuser de sa supériorité, préférant mettre en avant ses faiblesses, dans le but d'attendrir.

Loin de réduire la jeune coqueluche à sa capacité à briller et contrefaire, il est l'un des premiers à percevoir, sous sa charge poétique, le malaise existentiel de Cocteau. Il le devine tout aussi inquiet que lui d'être le préféré des meilleurs. Avec cet instinct qui peut lui signaler l'approche d'une dépression venue des Açores, il sent en lui l'animal fragile, moins fait pour la terre que pour les airs ou les eaux, avec *son merveilleux pouvoir ascensionnel* et *son nez en fine arête de poisson*. Pédagogue envers ses cadets, il exprime une sollicitude presque maternelle envers le phénomène Cocteau : quelque chose l'émeut dans cette précocité, l'inquiète aussi…

Aussi lent dans l'élaboration de son grand œuvre

que son cadet est rapide dans son affirmation littéraire, il se trouve des airs de tortue, face à lui. Il estime en même temps ce lièvre trop soucieux d'attirer l'attention des vieux chasseurs pour prendre de vrais risques. Lui qui crut longtemps n'avoir aucun génie, et doute encore d'être un véritable écrivain, reste perplexe, devant le trop-plein d'assurance de son cadet. En partie revenu de son ébriété mondaine, il estime que l'on ne crée que dans la solitude – en société on est n'est jamais qu'un homme du monde, *une création de la pensée des autres* : or Cocteau veut croire qu'on peut être les deux.

Ce dernier renâcle, en se voyant comparer à un *Banville de vingt ans qu'attendent de plus hautes destinées*, à la sortie du *Prince frivole*, son second recueil poétique. Dans le brouhaha flatteur qui l'entoure, le compliment l'inquiète. S'entendre désigner comme le nouveau Théodore de Banville, un écrivain né en 1830, voici quatre-vingts ans, quand on a été présenté comme la réincarnation de Rimbaud sur la scène du théâtre Femina, où ses tout premiers poèmes ont été « interprétés » par de Max !

Il était passé sans transition d'un amour maternel étouffant à la gratitude éblouie de la société, ce jour-là. Alors que ses petits camarades jouaient encore dans la cour de leur lycée, il était magiquement entré dans cet anti-monde sans poids, d'une chaleur grisante, qui lui paraîtra toujours la seule alternative enviable à la froideur du monde réel. Tel David Copperfield, il s'était vu devenir à dix-huit ans le héros romanesque de sa destinée, alors qu'il n'avait jamais pu décrocher son bac. Depuis il recherchait avidement cette forme démultipliée d'amour, en véritable diabétique de la gloire : seule la présence d'une foule enthousiaste pouvait lui assurer ce sentiment de plénitude que même le voisinage radioactif de sa mère ne pouvait plus lui offrir.

Si les salons l'ont précocement drogué aux flatteries, il est aussi conscient de leur inégal intérêt. Il rit tout autant que Proust des prétentions des Norpois, qui croient parler littérature en commentant un opuscule sur le fusil à répétition de l'armée bulgare. Aussi snob soit-il, il perçoit le vide inhérent à l'ultra-mondanité, cet ensemble de signes qui ne renvoient qu'à eux-mêmes, mais tiennent lieu de tout à ses acteurs aliénés. Il croit bien moins que le jeune Proust dans les vertus mirifiques de ce monde dont la *Recherche* fera encore un Walhalla vide. Mais, plus neuf en la matière, il continue d'avoir besoin de ses suffrages pour courir, et pas un instant il ne songe à remettre en cause les modèles artistiques qu'on y acclame. Il existe bien une autre littérature, qui s'élabore à l'ombre d'ateliers non chauffés et de bistros mal famés, mais comment en connaîtrait-il l'existence ? Proust lui-même ignore tout de ces auteurs faméliques d'avant-garde qui ressemblent à des conspirateurs, vus de la plaine Monceau…

Mais ce dernier connaît comme personne les mille manières de fuir l'écriture dans le brio oratoire, et l'art de se croire un poète de chaque instant, au milieu de mondains dont l'intelligence *n'est pas sortie de l'ordre de la conversation.* Et si Cocteau l'embarrasse parfois, c'est qu'il se revoit avec vingt ans de moins, courant vers les mêmes impasses. Il lui rappelle le temps qu'il a perdu, durant les années inféconds que son livre va tenter de reconquérir, en leur donnant leur inépuisable profondeur stratifiée. Il est l'écho allégé du tout premier Marcel, avec son aspiration insensée au bonheur, que la vie a remplacée par une tristesse intérieure sans espoir, comme Walter Benjamin le note.

Personne autant que Proust, pourtant, n'a cru échapper au néant de l'existence au contact du monde, mais personne n'a mieux découvert aussi les limites inhérentes à cette fuite en avant. Incapable de se défaire de l'idolâtrie que suscite en lui toute figure dotée d'un titre, il a mis des années avant d'admettre que l'activité créatrice était le seul salut, pour des sensibilités telles que les leurs, et dans son cas, la seule religion à sa portée : il situe depuis l'écriture hors du monde, à la façon d'une aspiration sacrée.

Il n'y pas jusqu'à la folie complimenteuse du jeune Cocteau qui ne lui renvoie, tel un miroir de sorcière, l'image du flatteur qu'il fut longtemps, et reste en bonne part. Son enthousiasme excessif lui rappelle cette forme d'hystérie qui le faisait s'exalter à tout propos : « Cocto m'a écrit (...) une lettre à côté de laquelle (...) le début de *Carmen* est résigné, septentrional et lent », écrit-il à Reynaldo Hahn : la sobriété n'est pas plus le fort du cadet que de l'aîné.

Cocteau, en outre, a une relation plus qu'approximative aux faits, comme Proust le déplorera encore devant Céleste sa gouvernante, après 1914. Non seulement il arrange, modifie, exagère, fabule, mais il *se ment*. Or Proust voue un culte maniaque à l'exactitude, même s'il la pratique de façon sinueuse. Il exige de ses amis la plus grande franchise, tout en supportant mal les effets destructeurs de leurs aveux. Ils peuvent inventer ce qu'ils veulent en société, ils lui doivent en tête à tête la plus grande vérité, qu'il devine d'instinct : sa méfiance est le meilleur détecteur de mensonges.

La santé de Proust est en train de l'arracher à l'attraction toxique du monde ; celle de Cocteau le propulse toujours plus haut dans le cercle *enchanté* dont la *Recherche* fera un *royaume du néant*. Engagé dans une entreprise abyssale de remémoration, Proust se dresse contre l'existence-minute d'un débutant dont l'agitation lui paraît un peu vaine, vue des labyrinthes du palais qu'est le Temps, agrandi par l'insomnie. Tout au bonheur de butiner mille pollens, le jeune homme en fleur refuse de choisir entre les bouquets que la vie lui tend. Et son agitation de guêpe joueuse trouble la reine abeille proustienne qui, rassemblant son énergie en vue de la ponte, reprend ses distances…

Le cadet espère encore faire de son destin une œuvre à la Oscar Wilde ? L'aîné sait déjà qu'il lui faudra sacrifier bien plus pour aboutir au Livre, lui qui évoquait déjà *le lest de plaisir qu'il faut jeter pour s'élever à une grande hauteur*, quinze ans plus tôt. Cocteau rêve d'une vie créatrice et personnelle harmonieuse ? Ayant aussi évité de se construire un *moi* stable, afin de perpétuer l'osmose avec sa mère, mais doutant bien plus de sa propre existence, Proust ressent l'impérieuse nécessité de bâtir une architecture de papier capable de résister aux modifications que la vie lui inflige. Seule la cathédrale qu'il esquisse, dans le secret de sa chambre, peut l'arracher au sentiment d'inanité que distille la société. Désormais convaincu qu'on tue le meilleur de soi en vivant, il cherche le salut dans la solitude et la maladie, quitte à se rendre misérable à la façon d'un Bergotte ou d'un Vinteuil, ces forçats du Beau que la *Recherche* va célébrer.

Cette jubilation que l'amour ne lui a jamais offerte, Proust ne la trouve que lorsque de brèves réminiscences lui font renouer avec son ancien *moi* d'enfant, comme durant ce réveil inoubliable, au premier janvier de 1909, où la trempe d'une tranche de pain grillé dans une tasse de thé, réveillant des odeurs de géraniums et d'orangers, l'avait confronté au Marcel qu'il avait été, dans les jardins d'Auteuil de son grand-père, trente ans plus tôt, et révélé à un lui-même incorruptible, car intemporel. Mais ce travail récapitulatif, à l'origine de ses thèses sur la suprématie de la mémoire involontaire – le toast étant vite élevé au rang de madeleine –, n'est pas encore à la portée de Cocteau. Les perspectives radieuses qu'il devine lui interdisent tout retour en arrière, comme tout regard réellement critique sur son présent.

« Vos lignes silencieuses se sont adressées à moi avec

une scintillation amie et lointaine d'étoile qui m'a rempli de tendresse et de rêve, finit par lui écrire Proust. Je vous remercie. Je ne vous ai plus fait signe quand je suis sorti pour ne pas vous ennuyer. Mais j'ai parfois pensé à vous et formé avec la vaine indiscrétion des amis et des philosophes des vœux inutiles ; par exemple que quelque événement vous isole et vous sèvre des plaisirs de l'esprit, laisse le temps en vous de renaître après un jeûne suffisant une faim véritable de ces beaux livres, de ces beaux tableaux, de ces beaux pays, que vous feuilletez aujourd'hui avec le manque d'appétit de quelqu'un qui a fait des visites de jour de l'an toute la journée où il n'a cessé de manger des marrons glacés. C'est selon mon pronostic – parfois clairvoyant pour autrui il est toujours impuissant pour moi-même – la pierre d'achoppement à craindre pour vos dons merveilleux et stérilisés. Mais la vie que je vous souhaiterais serait peu agréable pour vous, du moins tels qu'en ce moment se peuvent – du sein d'une tout autre – former vos désirs. »

L'auteur du *Prince frivole* a pourtant des arguments à défendre, face à son aîné. N'a-t-il pas déjà publié deux recueils de poésie, à un âge où la plupart de ses camarades hésitent encore sur le choix de leurs études ? Proust est-il d'ailleurs le mieux placé pour rendre justice, lui qui, à son âge, en était encore à donner aux journaux des essais sur les salons de la princesse Mathilde, de la princesse de Polignac et de la comtesse d'Haussonville, en disciple tardif de Sainte-Beuve ? Et comment croire jusqu'au bout à la purge que lui prescrit un homme qui n'a, dans les faits, jamais vraiment coupé le cordon mondain ?

Les reproches visant ses dons *stérilisés* ne sont-ils pas teintés de jalousie ?

Proust continue d'interroger Cocteau sur ses sorties, en même temps. Par une de ces coïncidences perverses dont il est le maître, il exige de lui ces *petits faits vrais* qui doivent donner leur humanité aux pivots de son œuvre, avec une insistance détailliste qui le fera traiter de *nigaud* par un Barrès habitué à plus de hauteur – « Un poète persan dans une loge de concierge », dira-t-il de lui. Proust encourage donc Cocteau à trouver implicitement *romanesques* ces figures dont il lui reproche la fréquentation. Quoique désormais hostile à Sainte-Beuve, qui croyait les salons indispensables à la littérature, il a besoin que son cadet reste dans le monde, pour alimenter son « élévation ». C'est la logique du : *Pile je gagne, face tu perds*, familière au plus snob et au plus anti-mondain des Parisiens.

Sans doute Cocteau aurait-il été plus réceptif à ces arguments s'ils avaient donné tous leurs fruits. Mais Proust n'a toujours rien publié de décisif, à l'approche de la quarantaine, et cette faible fécondité nuit à ses proscriptions. Il a beau être infiniment plus profond que les esthètes que Cocteau côtoie, il lui manque cette autorité littéraire qui seule pourrait détourner ce dernier de la scène parisienne. Comment Cocteau pourrait-il croire que Proust conteste au monde toute valeur, lui qui ne parle que de ça, n'écrit que sur ça…

Pourquoi d'ailleurs s'interdirait-il de profiter de l'existance, lui qui a déjà un début d'œuvre à vingt ans ? A quel titre se sentirait-il coupable de jouir de la vie, à son âge ? Au nom de quelle morale sacrificielle vivre et écrire seraient-ils incompatibles ? Conforté par l'exemple de Gide, qui a jeté sa gourme avec *L'Immoraliste*, Cocteau n'envisage pas un instant de suivre Proust dans sa plongée somnambulique.

Un exemple d'abnégation s'impose pourtant à lui, en cette saison, celui de Nijinski, qui a exactement son âge. Le danseur l'impressionne par l'intensité subjuguante de sa présence en scène, qui contraste avec l'indifférence léthargique qu'il montre en coulisses. Le garçon aux jambes trapues et *au visage pâle de Kalmuk*, qu'on prendrait pour un vendeur de grand magasin à la ville, ou un jockey sur un champ de courses, n'a qu'à monter sur les planches pour voir son cou trapu s'allonger et sa physionomie inachevée s'épanouir. La perspective étire ce corps conçu, non pour le grand air, mais pour le strict format des boîtes théâtrales ; le *tout petit singe* tourne à l'elfe, au vent, à l'essence de rose...

Mais l'ascèse que Nijinski s'impose n'arrive pas plus à persuader Cocteau à corriger son existence que les plaidoyers de Proust ; c'est parce que les bonds du danseur l'éblouissent qu'il est sensible aux tortures qu'il s'inflige. Il lui arrive bien d'entrevoir un au-delà artistique à sa propre facilité, mais il n'est pas prêt à s'impliquer jusqu'au *sang* pour offrir à ses lecteurs la vie qui leur manque, comme d'autres à la suite du Christ. Est-il même capable de soutenir l'intense relation amicale, teintée de jalousie, qu'espère Proust ?

Or l'amitié n'intéresse Proust que s'il parvient à lui donner l'intensité électrique de l'amour, qu'elle l'obnubile comme une passion. Poussé par une curiosité démoniaque, il traque les secrets de ses proches afin d'envahir leur intimité, de prendre la première place dans leur cœur. Il rêve d'une relation capable, en abolissant toute différence, d'actualiser la symbiose qui présida à sa naissance : seule la résurrection de ce lien fondateur pourrait le réconcilier avec lui-même.

Sûr de leur cousinage sensible, Proust revient vers le jeune homme si prometteur qu'il a inutilement sermonné : tout comme Lucien Daudet dans le monde social, il ne désire affectivement que ce qui le tient à distance. Le besoin de reconnaissance de Cocteau ne dit-il pas aussi la force de l'œuvre qu'il porte, et n'est-il pas logique, avec tant d'éclat et de précocité, qu'il cherche partout son reflet ?

Conscient de ne pouvoir tout exiger de son cadet, Proust lui envoie une exubérante boule de gui pour la Noël 1910, accompagnée par ces vers lourds d'espoir :

Si je t'aime
Si tu m'aimes,
Si on s'aime

qui rappellent les menaces chantées de *Carmen.* Tutoyant pour la première fois Cocteau, ce qu'il n'a fait qu'après des années avec Hahn et Daudet, il multiplie les aveux, se fait charmeur de serpent. Enfin il compose ces vers, en réponse à sa demande de souscription pour une statue de Verlaine :

Le silence est de plomb, la parole d'argent
Et les mots font du bien (...)
Donc reçois tous ceux-ci comme maigre salaire
De ton charme vivant qui sait si bien me plaire.

Jusqu'où alla le sentiment d'un homme dont on connaît cinq mille lettres mais dont très peu parlent d'amour, sinon celles adressées à Lucien Daudet, pour beaucoup inédites ou perdues[1] ? Le vol des centaines de missives que Cocteau reçut de lui, comme la dispersion de celles qu'il lui écrivit, empêche de répondre. Reste que, s'avançant puis se retirant dès qu'ils pourraient entrer en contact réel, Proust fait à Cocteau une cour dont la sinuosité rappelle celles dont Reynaldo Hahn et Lucien Daudet avaient bénéficié avant lui.

L'expérience a pourtant rendu Proust sceptique. Ses élans torrentiels n'ayant jamais trouvé de réponse, il s'est convaincu, en sentimental sevré, que les vraies choses ne nous arrivent que *lorsqu'on ne les désire plus.* « Il préférait être méprisé plutôt que n'être pas aimé, écrit Pietro Citati ; et s'il était aimé, il en demeurait

1. Sans parler des années d'échanges avec Hahn qui manquent.

bouleversé, presque désemparé. » A l'origine de la philosophie de la *Recherche*, cette désillusion l'incite à ranger dans un tiroir son poème, et à ne l'envoyer que plusieurs mois plus tard.

Hanté par le spectre de l'irréciprocité, Proust suspend la cristallisation et en revient au *vous*. De nouveau harcelé de reproches affectueux d'une agressivité parfois inquiétante – *On me dit que vous êtes partout, sauf chez moi*, reprochait déjà Proust à Jacques-Emile Blanche –, Cocteau prend à son tour ses distances envers cet admirateur trop exclusif, dont la jalousie s'en trouve relancée. Ayant cru deviner qu'il fréquentait plus que jamais Lucien Daudet, sur la foi d'un potin les disant réfugiés dans la maison de campagne de ce dernier, puis que *la dernière intimité* les unit, Proust se venge au détour d'un article consacré au recueil que Daudet vient de publier, *Le Prince des Cravates*. Il suggère l'étendue de l'influence que son « rival » exerce sur Cocteau en citant le titre voisin que celui-ci vient de donner à ses propres poèmes : *Le Prince frivole*.

Tout ce que l'objet de son désir vit loin de lui le faisant *intimement* souffrir, Proust s'abandonne sans borne ni logique à son inquisition jalouse. Première victime du totalitarisme sensible qui fera la gloire de la *Recherche*, il inflige à Cocteau des souffrances supposées répondre aux tortures qu'il dit subir. Mais ces vengeances réveillent l'empathie envahissante d'un homme qui ne peut voir un malheureux sans vouloir le secourir et qui, dans un contre-pied héroïque, en vient à implorer le pardon de son « bourreau », puis à avouer ne penser aucun bien de lui-même, tout en veillant à s'accorder les qualités qu'il peine à détecter chez le premier. *La flatterie jointe au reproche* formant l'essentiel de sa méthode amicale, aux dires de Cocteau, il abonde derechef en sucreries.

Masqué sous ses encouragements, Proust initie la seconde phase de son harassement destiné à se faire aimer de Cocteau non plus pour lui-même – puisque ce *lui-même* ne vaut rien –, mais pour ce que sa protection *pourrait lui procurer*. Pénétrant dans l'antre du boulevard Haussmann en se plaignant du froid polaire qui fige Paris, Cocteau a la surprise de se voir offrir une superbe émeraude destinée à couvrir l'achat de la pelisse dont il aurait tant besoin. Mais il rejette ce cadeau exorbitant, comme il renvoie, deux jours plus tard, le tailleur venu prendre ses mesures sur l'ordre de son « bienfaiteur », lequel a appris qu'il avait attrapé un rhume.

Ce double refus vexe profondément Proust. Affligé d'une générosité aussi étouffante qu'un asthme, comme de cette imagination douloureuse qui fait ressentir toutes les formes de la misère, aux dires de Daudet, Proust envoie à Cocteau une nouvelle lettre récriminatrice, la plus longue de toutes celles qu'il lui infligera. Au terme d'une douzaine de pages de remontrances, au sujet de l'un de leurs amis communs, *l'offensé* exige qu'il transmette à ce dernier ses griefs, avant de préciser dans un post-scriptum étonnamment laconique : *Au fait, ne dites rien.* Comme si tout cela relevait d'un délire intime qu'un accident technique aurait soudain rendu audible.

Les amis de Proust connaissent ces volte-face. Ayant appris à interpréter le *merveilleux baromètre de sa sensibilité*, ils ne s'offusquent plus de le voir s'emporter quand ils lui refusent de commenter un incident mondain vécu la veille, de peur d'impliquer des proches. Sachant sa crainte de ne pas constituer un objet suffisant d'intérêt, qu'il compense à coups de cadeaux, de flatteries et de tendresses, ils sont habitués à le voir se dévaloriser. Ils sourient à ses regards de martyr, certains qu'il va s'empresser d'ajouter, en se frottant la figure à pleines mains : *Voilà Marcel qui commence ses taquineries.* Comme s'il évoquait un troisième larron !

Mais Cocteau est trop jeune, trop vivant aussi, pour entrer dans ces chinoiseries. L'horrible manie qu'a Proust *d'enfermer les êtres pour les avoir à soi* lui pèse : tout ce qu'il fait ou dit semble destiné à nourrir une poupée intime torturable à souhait. Que faire d'un homme à qui la simple amitié ne procure qu'un plaisir médiocre, tout proche de la fatigue et de l'ennui, et qui ne vous encense que pour vous soutirer des aveux qui lui serviront à rouvrir d'autres procès ? Dont la susceptibilité maladive, avec ses exigences horaires, ses griefs à tiroirs et ses exclusives amicales, fait passer le rapport du glacial au brûlant, au rythme d'une météorologie imprévisible. Qui profite du plus petit manquement pour se décrire en *colombe poignardée*, selon le titre qu'il pensa donner à l'un de ses volumes. Et qui peut aussi bien offrir un pistolet à un ami, à l'occasion de son mariage…

Proust aurait l'âge d'être son père : est-ce une raison pour lui reprocher pesamment de l'avoir évité du regard, chez Larue, alors qu'il ne l'avait tout simplement *pas vu*, comme si cette seconde de cécité était la confirmation définitive de sa froideur ? Comment Proust pouvait-il se tromper si lourdement, dès qu'il s'agissait de ses propres affaires ? Habitué à détecter des réserves dans le moindre élan, il en venait à soupçonner derrière tout compliment une forme d'envie, derrière tout sacrifice un calcul. Redoutable médecin, quand il s'agit de soigner ses amis, Proust reste le pire des rebouteux pour lui-même.

Le réseau de reproches, d'insinuations et de repentirs de son aîné se resserrant, Cocteau finit par se donner objectivement tort. Il revient en pénitent chez ce ratiocineur avide d'offenses, qui finit par les susciter pour le seul plaisir de reprocher au *fautif* son incurable manque d'éducation, sa perversité « peut-être » involontaire ou sa méchanceté « sans doute » foncière.

Cocteau comparera plus tard l'inquisition proustienne à ces polices habiles à pousser de pauvres innocents à s'accuser des délits les plus invraisemblables, avant d'inventer les preuves de ces crimes supposés. Il craindra moins les vues supposées de son aîné que cette avidité réprobatrice qui l'amène au moindre prétexte à *fouiller* en lui, à faire de lui un monstre d'indifférence ou d'égoïsme. Il aura souvent l'impression d'être radiographié par un appareil inédit destiné à éclairer tous les recoins de son psychisme. Sans doute perçut-il d'emblée quel trésor les maniaqueries proustiennes recelaient, mais il souffrit aussi de ses exigences dictatoriales. *Marcel est génial*, l'avait prévenu Lucien Daudet. *Mais c'est un insecte atroce. Vous le comprendrez un jour...*

Il n'y avait pas cru, alors. Comment un monstre pourrait-il montrer tant de sensibilité, tant d'intérêt passionné pour les autres, tant d'affection pour ses amis ?

Peut-être Cocteau manqua-t-il de cœur envers un homme qui rêvait d'entendre, dans la bouche de ses proches, un peu des dithyrambes qu'il leur adressait. Mais quel être aurait pu contenter Proust, toujours prêt à croire que ses plus vieux amis complotaient contre lui ? Qui n'oubliait jamais le moindre manquement, même après des décennies. Et qui, espérant une lettre d'amour, finissait par l'écrire en pensée telle qu'il la souhaitait, et la rendait si poignante que la vraie missive ne lui faisait plus *aucun* effet, lorsque enfin elle lui parvenait.

Qui aurait pu rendre à cette chimère le quart des élans qui la poussaient à frapper à la porte d'une concierge, en la voyant seule et triste dans sa loge, à lui poser mille questions sur sa vie, à s'informer sur les occupants de son immeuble, à lui proposer de l'accompagner au spectacle, comme si leur relation avait un avenir ?

Proust lui-même ne s'inquiétait-il pas déjà, à dix-huit

ans, de se voir si « collant », si jaloux des qualités d'autrui, si dépendant de sa réponse affective ?

Ne se qualifiait-il pas d'*insupportable*, dans sa quête d'un être aussi « pur » et généreux que lui ?

Cocteau ne pouvait qu'être dans son tort, en étant dans son droit.

Contre nature

Quiconque les approche, dans les années 10, est frappé par leur gémellité. Une même curiosité dévorante, un désir de plaire et de dominer aussi, abrité sous une commune courtoisie, ils font penser à deux frères qui auraient grandi à une génération de distance. Leurs sensibilités sont si voisines qu'elles paraissent se faire écho : *Nos esprits, ces miroirs jumeaux*, écrit Proust dans une dédicace à son cadet.

Cocteau associe d'emblée son interlocuteur à sa destinée, dit aussi spontanément « nous » que « je ». Il recherche cette estime et cette affection sans lesquelles l'exercice de la littérature tournerait vite à l'horreur, à ses yeux. *Une intelligence insatiable ne lui laissait aucun repos* (...), *il ne pouvait supporter que rien lui échappât*, note Jacques Porel, le fils de la grande Réjane, en évoquant une poigne de fer dans un gant de velours. Or il décrit une même voracité chez Proust, ce questionneur inlassable qui le connaissait mieux que ses intimes, au terme de leur troisième rencontre : *On était plus véridique avec lui qu'avec aucun autre. On se sentait connu, excusé, dépaysé mais dépassé.* Et Porel d'ajouter ce trait, qui vaut aussi pour Cocteau : *Il avait ce talent si rare d'élever les gens, en leur donnant d'eux-mêmes une idée meilleure.* Comme si l'on était confronté à un double supérieur et comblant, avec eux.

Pour bien connaître leur mécanique respective, ils en voient néanmoins les défauts. La parenté de leur nature contribue ainsi à freiner la réaction chimique : ils sont presque trop bien faits pour s'entendre, trop semblables pour jouir de leurs reflets. Ayant grandi dans le regard d'une mère qui les gava d'amour, dans l'espoir d'en être adulée, ils reproduisent cette attente à chaque rapport, avec les jalousies que cela suppose. Proust aussi *devient* passionnément ceux qu'il aime : désirer et imiter, c'est tout un pour lui, c'est sa façon de faire couple, pourrait-on dire. En lui interdisant d'occuper un point fixe, reconnaissable et donc enviable, y compris par lui-même, sa personnalité labile le pousse à vouloir cannibaliser tout être lui paraissant porter une essence flatteuse.

Par sa jeunesse et sa précocité, Cocteau a encore des droits à ce titre ; aussi « léger » soit-il, il voit ses vers publiés, approuvés, demandés. Proust reste en revanche un auteur virtuel ; il ne peut donc occuper une position dominante dans l'imaginaire glouton de son cadet. Sans doute aurait-il fallu un multiplicateur plus solide que leur mimétisme réciproque, ou un biais plus profond que les miroirs qu'ils se tendent, pour arrimer des sensibilités si voisines. Mais Cocteau ne peut devenir Proust, puisqu'il l'est déjà en partie. Et pour avoir été un autre *Cocto* dans sa jeunesse, Proust ne peut voir en lui qu'un stade révolu de son propre développement, un écho de cette époque où, pour espérer en toute occasion Noël, il abusait aussi des marrons glacés. Pour engendrer un semblant de relation affective, l'un des partenaires doit pouvoir faire figure de référent crédible, et aucun ne pouvait jouer ce rôle…

Former un couple, c'est ne plus faire qu'un, mais lequel, en l'occurrence ?

Si Cocteau ne peut s'identifier à Proust, c'est d'abord que Proust n'existe pas, *stricto sensu* : il est avant tout ce que sa pensée vagabonde et ses projections changeantes le font *devenir*. Il ne jouit pas plus que lui de ce *moi* compact qui nous permet d'affronter la vie sociale sans trop en pâtir, et qu'il nous a appris à distinguer de celui, nébuleux, qui nous fait écrire. Tout comme Cocteau, il a longtemps été en quête d'un objet d'amour capable de fixer ses innombrables virtualités avant de charger son livre, par défaut, de cette fonction centralisatrice. Son intelligence a beau avoir des pouvoirs viraux qui lui permettent de se substituer, aujourd'hui encore, à celle de son lecteur, il ne sera jamais imité littérairement par son cadet, lequel maîtrisait à quinze ans son style et sut faire pourtant du Anna de Noailles ou du Mallarmé. Tandis que Proust, après avoir copié tant d'auteurs, de La Rochefoucauld à Baudelaire, parodiera Cocteau dans un texte destiné à *Pastiches et Mélanges*, resté inachevé et inédit. Il aura beau dire que le pastiche est le meilleur antidote à l'influence d'un écrivain, le pasticheur *n'imitant* qu'*en toute conscience* de le faire, cet « à la manière de » dénote une forme de reconnaissance, sinon d'emprise[1]...

Leurs modes d'expression se tiennent aux antipodes, quoi qu'il en soit. La conscience de Proust est une serre démesurée que le moindre rai de soleil aveugle et où le plus petit son trouve un écho horrible, tel un rapide violant un tunnel. Le premier pollen que le vent y dépose y trouve un terreau propice et finit, au terme d'une croissance exubérante, par le menacer d'asphyxie. A rebours de celle de Cocteau, qui enregistre sans cesse mille images, elle repousse toujours dans le temps et l'espace sa compréhension des êtres, amplifie ses capacités d'introspection jusqu'au vertige, finit par *proustifier* à tout-va, comme le déploraient déjà ses camarades du lycée Condorcet. Tout comme l'élu la colonise entièrement, dans l'attente amoureuse, la plus petite réserve a l'effet d'un séisme sur elle ; le demi-dieu qu'elle encensait tourne au monstre, elle-même au martyr.

L'attention de Cocteau est bien plus nerveuse, furtive, détailliste. Elle enregistre avec la même acuité les gestes et les intentions mais, privée d'extension temporelle et de profondeur historique, elle tend à réduire les êtres à des silhouettes, sinon des caricatures, comme le fera *Portraits-Souvenir*, où les figures ayant inspiré la

1. *Il faut faire du pastiche volontaire*, ajoute Proust dans ses *Mélanges*, *pour pouvoir après cela redevenir original, ne pas faire toute sa vie du pastiche involontaire.*

Recherche passent à la vitesse de l'éclair, en deux dimensions : *Vous qui pour les vérités les plus hautes vous contentez d'un signe flamboyant qui les rassemble*, lui écrira Proust au sortir de la guerre en résumant son aptitude percutante à « saisir » le monde. Tout sépare le cadet qui aime prendre des photos, de l'aîné qui peut rester des heures à contempler l'image d'êtres aimés.

Incapable de ramasser littérairement sa sensibilité, *le petit Marcel* envie l'intelligence cursive de Cocteau, qui perçoit d'emblée ce qu'elle percevra toujours. Mais la vélocité de ce dernier l'accule aussi à des pièces d'une brièveté épileptique. En l'empêchant de rester deux heures en place, elle lui interdit de parfaire un livre central ou une œuvre massive. Il pense n'avoir qu'à puiser dans sa personnalité exubérante pour bâtir un nouveau livre ? Proust pressent qu'il lui faudra d'abord sacrifier son être réel, s'il veut se reconstruire par écrit. Le cadet se disperse en croyant s'enrichir ; l'aîné pense déjà à s'ensevelir, avec la satisfaction du juge ayant enfin trouvé la peine exacte à s'infliger, la mort. Le premier écrit maigre et vite, en aspirant à pleins poumons la vie, malgré les allergies dont il souffre aussi. Le second s'épuise à solliciter des horticulteurs, des couturiers, des héraldistes et des pharmaciens pour alimenter son œuvre haletante. Loin de les réunir, la littérature accentue leurs divergences morales et formelles.

Proust hérite à vrai dire d'un modèle littéraire solide, forgé au XVIIIe et canonisé au XIXe, le grand roman à épisodes. Mais sa première tentative fictive, *Jean Santeuil*, était trop littéralement autobiographique pour porter ses fruits. Complexé par l'étendue vertigineuse de ce qu'il a à dire, il n'a pu s'en tenir à un plan et n'est parvenu à se délester qu'au travers de lettres interminables, souvent adressées en pure perte, ses correspondants se lassant d'être flattés et ridiculisés tour à tour.

Après avoir laissé inachevé à vingt-neuf ans *Jean Santeuil*, puis les textes épars qui allaient former *Contre Sainte-Beuve*, s'être enfin enlisé dans une tentative romanesque intermédiaire, avant de maudire son style pâteux et ses phrases à tiroirs, Proust a donc décidé de tenter encore sa chance, à l'approche de la quarantaine. Par miracle, il a cette fois trouvé la matrice fictive susceptible d'accueillir l'invraisemblable somme de déceptions disparates que l'amour, l'art, la vie, l'âge et le temps lui ont infligées. Née dans les ruines, sa *Recherche* est en passe, contre toute attente, de devenir un organisme irrésistiblement vivant.

La chance de Proust, paradoxalement, est d'avoir toujours gardé des doutes sur ses capacités créatrices, même lorsque son entourage criait au génie. Se croyant victime de la maladie de la volonté que les neurologues viennent de mettre en lumière, il craint de n'être que l'écho tardif des nombreux écrivains qui l'ont marqué – un pseudo-Balzac tentant de dépeindre un monde pastichant lui-même la cour vue par Saint-Simon, dans un style hérité de Mme de Sévigné. *Sachant trop bien ce qu'est la littérature, il ne se sentait pas supérieur aux autres*, note Elias Canetti au sujet d'Isaac Babel ; la phrase vaut pour celui qui est en passe de se sauver de la dispersion par un travail d'investigation intérieure, aussi humble qu'harassant.

Mais cette modestie laborieuse nuit à Proust, aux yeux de son cadet. Ayant besoin de voir pour croire et de toucher pour adhérer, Cocteau brûle de rejoindre les déités qui dominent l'Olympe parisien. Il lui faut avancer, s'épandre, se multiplier au contact de personnalités qu'il devine grosses d'une énigme et d'un univers. Plus cette *grossesse* est spectaculaire, plus les attributs de l'idole brillent – œuvre, renommée, titre... –, plus son besoin de *devenir* s'enflamme.

Harcelé de questions sur Robert de Montesquiou, qui a eu tant d'influence sur lui-même, Proust tente une fois encore de le prévenir, mais Montesquiou a l'avantage inappréciable d'avoir signé de *vrais* livres, d'être doté d'une personnalité hors norme et d'évoluer dans un cadre fastueux.

Est-ce *le professeur de beauté* que Cocteau cherche à rencontrer, ou le démiurge que le même Proust compara à une divinité capable de lancer la foudre sur terre, tout en dénonçant l'oubli où déjà sombrait sa poésie ? Cocteau ne choisit pas : le poète suave hanté par *les chimères de princerie* et le descendant de d'Artagnan qui reçoit au compte-gouttes le gratin, dans son Palais rose du Vésinet, ne forment qu'une même entité éblouissante à ses yeux. Et après avoir transmis la lettre qu'il venait de recevoir de ce *correspondant plus pittoresque*, Proust accepte de jouer les intermédiaires...

La taille cambrée et le menton en flèche, le comte de

Montesquiou règne alors par la violence de ses oukases sur Paris. Allié à toute une partie de l'aristocratie européenne, mais n'estimant n'avoir d'égaux qu'au ciel, il n'a pas son pareil pour intimider les snobs, bafouer les personnes *ultra-nobles, ultra-fossiles* de son milieu et rappeler aux autres qu'il regarde l'absence de particule comme une lèpre. La poitrine parée de pelisses, la poche gonflée par un poing arrogant, ce rescapé de l'Ancien Régime témoigne d'une même assurance insupportable en poésie, où il s'est autoproclamé *chef des odeurs suaves* et *souverain des choses transitoires* avec le soutien implicite de Mallarmé. Le symbolisme en plein déclin a trouvé en lui un chantre hautain dont Verlaine a pu vanter, dans les vapeurs de l'alcool, *l'art aussi délicat que clair.*

Mais Montesquiou a bien trop l'habitude d'être flatté pour s'arrêter aux lettres dont le couvre Cocteau, ce roturier dont trente-cinq ans le séparent. Les dédicaces vantant *la sûreté infaillible de son regard* et *l'infatigable arme* de sa voix aiguë ne réussissent pas plus à le troubler que les mots célébrant sa *déroutante exactitude verbale* ou *sa courtoisie de martinet.* Imprégnées de la folie complimenteuse dont Proust s'est fait le champion pervers, le génie en moins, les louanges de Cocteau glissent sur un homme qui traite plus durement chaque année quiconque ose prétendre à son intimité. Cumulant tous les snobismes, Montesquiou cesse même de couper les pages des recueils qu'il lui adresse.

Si Cocteau n'est pas convié aux déjeuners du comte, c'est aussi qu'il a eu le toupet de lui avouer avoir gravement *méjugé* de sa poésie, dans sa prime jeunesse, et a cru s'en absoudre en se comparant aux rives d'un fleuve qui se forment et se déforment sans jamais se laisser *emporter* – c'était joindre l'affront à l'immodestie. Plus il l'encense, depuis, plus Montesquiou sévit : assouvir le masochisme d'autrui est le seul plaisir que ce sadique prendra jamais à deux.

Un sentiment d'inanité gagne Proust, au vu des efforts de Cocteau pour se gagner le comte. Ils lui rappellent le temps où lui-même le couvrait de lettres le comparant à Baudelaire et à saint Paul, et contrefaisait ses attitudes jusqu'à en être hanté. Ayant vu qu'il était *aussi difficile de ne pas chercher à imiter* Montesquiou *que d'y parvenir*, Proust en a conclu que le mieux était encore de le transformer : après avoir inspiré le Des Esseintes de Huysmans, dans *A rebours*, et le paon du *Chantecler* d'Edmond Rostand, le comte est en train de nourrir son inoubliable Charlus. Montesquiou engendre à la fois le violent désir d'être *lui* et l'envie irrépressible de le tuer ? Proust a trouvé moyen de rendre ces deux besoins compatibles en inventant ce baron qui va hériter de la morgue géniale, de la bonté honteuse et des humeurs caractérielles de Montesquiou, mais aussi de sa propre sexualité impossible et de son génie tordu.

Battu froid par Montesquiou, Cocteau se résout plus « modestement » à recréer *en lui* ce concentré de sang bleu. Il arbore à son tour une canne à pommeau d'ivoire et des manchettes en satin, qu'il retournera un jour. *Les intonations de Montesquiou résonnaient encore en l'air et Cocteau, telle une onde hertzienne, les captait,* note Elisabeth de Gramont. Né la même année que la tour Eiffel, il se fait l'émetteur-récepteur de cette voix d'exception et imite en tout lieu le comte en train de glapir ses vers, tel un *cobra cabré* infligeant aux parquets de terribles coups de talonnette. Comme s'il s'efforçait d'ingérer son culot et sa folie, dans l'espoir de devenir une sorte de génie au carré.

Montesquiou craint-il que Cocteau ne le trahisse un jour pour un poète plus en vue et donc utile – une épouvante pour un homme qui souffre d'un manque de reconnaissance littéraire ? Ou bien voit-il dans cette créature survoltée un *marque-mal* susceptible de dénoncer ses propres goûts sexuels, qu'il veut croire être seul à deviner ? Il en vient à feindre en public de prendre Cocteau pour Anna Pavlova, la ballerine des Ballets russes, dont il le sait familier. *Mais je la connais bien !* brame-t-il, quand des tiers insistent pour les présenter – ce *la* désignant tout ce qu'il craint lui-même d'évoquer.

Des trois hommes, Cocteau est en effet le plus libre, dans l'expression de ses désirs. Non seulement il se maquille et se parfume, mais il s'avoue avec effronterie dans les poèmes qu'il publie. Précoce sexuellement, il s'est déniaisé en allant droit vers l'un des jockeys qu'il croisait régulièrement, au sortir des haras de Maisons-Laffitte. Après s'être affiché avec de Max, qui se fait épiler en public, il remonte l'avenue de l'Impératrice au bras de Maurice Rostand, le fils de l'auteur de *Cyrano de Bergerac* – un authentique *lady-like* qu'il est très difficile de distinguer de sa mère, qu'il quitte rarement.

Proust se dissimule, à l'inverse. Revenu depuis

longtemps des audaces qui le poussaient à évoquer sa pédérastie devant ses camarades de Condorcet, il s'offusque de toute insinuation, y compris lorsqu'on taxe son style écrit de « féminin ». Tout comme il dénie farouchement son snobisme, jusqu'à accabler son amie Misia de lettres l'assurant qu'il s'intéresse plus aux chauffeurs qu'aux marquis, il interdit à ses proches ces allusions auxquelles l'époque a recours afin d'éclairer les initiés. Ils ont beau être aussi voyants que Lucien Daudet, Reynaldo Hahn et Jean Cocteau, ils doivent faire comme s'il était un homme « normal ». N'a-t-il pas provoqué en duel Jean Lorrain qui avait insinué, dans un article se moquant de la préciosité des *Plaisirs et les Jours*, l'existence d'une confrérie unissant *les petits kioukious, poètes peu ou prou, qui fréquentent chez Mme Lemaire* – des plumes de paon dans la traîne de Montesquiou, ajoutait Lorrain en un appendice obscène ?

Proust esquissera dans la *Recherche* une étrange généalogie de leur *vice*, depuis la damnation de Sodome. Il affirmera que la destruction par les anges de la Bible d'une pédérastie antique perçue comme socialement utile, n'avait épargné que les descendants des sodomites honteux que les envoyés de Dieu, trompés par leur déguisement moral, avaient laissés sortir de la ville. Il s'efforcera toujours de justifier cette thèse étrange, presque un plaidoyer *pro domo*, comme il s'opposera à toute velléité de « rebâtir » Sodome – un lieu bien plus tabou que Sion, dans son esprit.

Certes l'homosexualité relève encore de la malédiction,

en 1910 : la famille, la nation, et à terme l'espèce se sentent menacées par ses valeurs et sa stérilité. Mais elle fait depuis longtemps partie du paysage parisien. Et si elle souffre d'un profond discrédit privé, sur l'ensemble du territoire, elle n'est passible d'aucune loi publique, entre majeurs. L'inverti est assimilé à une girouette morale, flagorneuse en public et perfide en privé, comme la réversibilité vertigineuse des uranistes de la *Recherche* en témoigne. Mais il peut rejoindre librement les bordels et les bains qu'abritent les grandes villes ou, s'il en a les moyens, des contrées comme l'Algérie, où Cocteau et Daudet se rendent dès 1912, à la suite de Gide et de Wilde. Et il peut s'autoriser tous les effets d'affiche dans certains salons de la capitale, sans craindre d'autre que des remarques piquantes.

Proust rendra ces salons bien plus exclusifs qu'ils ne le furent, dans la *Recherche*, comme s'il avait là encore besoin que ces clubs l'excluent pour pouvoir rêver d'eux. Mais ces lieux créditent souvent les homosexuels de l'agrément qu'ils contestent aux maris, jaloux, incurieux ou balourds par atavisme supposé, comme aux célibataires, trop coureurs par nature. N'auraient-il rien écrit, comme cela reste le cas de Proust, ils y passent pour des sortes d'artistes *au jour le jour*, le chaînon manquant entre l'amateur éclairé et le créateur exigeant – *des célibataires de l'art*, dira le Narrateur d'*A la recherche du temps perdu* en parlant des artistes sans œuvre, si fréquents dans cette décennie où les bourgeois s'imaginent volontiers peintres, photographes ou écrivains…

Cocteau achève donc sa croissance dans ces serres où

des *sensitives* comme Proust, Hahn et Daudet-le-petit se sont s'épanouis avant lui. Attiré par les hommes de son milieu, avant d'avoir recours aux circuits marginaux de l'homosexualité populaire, il surinvestit une sphère qui lui réserve une place au pied des reines, réelles ou symboliques, qu'elle fête, et lui donne l'illusion d'appartenir à une obscure noblesse sexuelle. *Mais Excellence ! si elles l'étaient, les salons seraient vides !* dira Maurice Rostand en voyant Paul Claudel s'étonner que des *créatures* comme « elle » ne soient pas mises au ban de la société.

Plus que Proust il est vrai, Cocteau est le produit de cette bourgeoisie gentilhommesque qui revendique l'héritage de l'avant-89, cent vingt ans après la prise de la Bastille. Il appartient de plain-pied à cet ersatz d'aristocratie dont Proust se sent encore tenu à l'écart, de par les origines de sa mère, mais qu'Eugénie Cocteau incarne à merveille, avec ses airs de souveraine en exil. Montesquiou a beau être la mauvaise conscience de cette classe ascendante, il se satisfait d'en être. « Je suis en caoutchouc, répond-il à son aîné quand Proust persiste à le mettre en garde contre sa tendance à contrefaire les poses du comte : au contact des personnes je me déforme, prends leurs vues, leurs manières ; à peine disparues, je reprends ma forme à moi, comme un ballon. » Relevant de la pensée magique, le processus a un tel pouvoir d'effectuation que, lorsque Montesquiou finira par lui entrouvrir ses petits appartements, il aura perdu tout intérêt aux yeux de Cocteau, qui l'avait entièrement cannibalisé.

Ces procès anti-mondains ont d'autant moins d'effet sur Cocteau qu'il ne partage ni les complexes sociaux de Proust, ni son faible pour les ducs poussiéreux et les reines déchues. Alors qu'elles obnubilent son aîné, les généalogies ne l'intéressent guère : sa curiosité ne va pas si loin dans le passé. Les liens quasi incestueux que Lucien Daudet a tissés avec l'ex-impératrice Eugénie l'amusent, mais ils fascinent Proust, en « rattachant » leur ami aux dynasties qui régissent encore l'Europe. Proust sera pour finir très meurtri, en apprenant que son cadet a été présenté à la veuve de Napoléon III, un privilège auquel il n'eut jamais droit, malgré des demandes répétées.

Cocteau aurait-il encore des remords qu'il n'aurait qu'à observer l'attitude de Proust envers la comtesse de Chevigné. Clef de voûte du Paris fleurdelisé qu'ils fréquentent, pour avoir accompagné dans son exil à Froshdorf le comte de Chambord, ultime prétendant crédible au trône de France, Laure de Chevigné, née Sade, continue d'inspirer à Proust une passion platonique remontant à son adolescence. L'amoureux transi qui pleurait à vingt ans d'émotion, en retrouvant les traits de l'idole dans le visage d'un de ses neveux, l'accable plus que jamais de compliments hyperboliques et persiste à harceler son personnel, sur lequel il a reporté une part de ses sentiments[1]. Entourer d'égards cette

1. *Quand au détour d'une rue je reconnaissais venant dans ma direction les favoris blonds de son maître d'hôtel qui lui parlait, qui la voyait déjeuner, qui était comme de ses amis, j'avais un triple coup de cœur,*

femme qui vécut encore à l'heure de Versailles à la cour du *would-be* Henri V – l'étiquette y restait celle de l'Ancien Régime –, c'est se donner l'illusion de recréer une cour, sinon un royaume ; recueillir les souvenirs de ce monument héraldique dont les armes familiales ornent depuis 1177 le pont d'Avignon, c'est se hisser au niveau des plus grands.

Mais la comtesse est trop habituée au parler laconique des royautés et au rugueux babil de ses paysans pour jouir de l'obséquiosité conquérante de Proust : ses questions indiscrètes l'embarrassent autant que sa tendance à tout commenter. Aussi Proust voit-il une occasion inespérée de se rapprocher d'elle, quand Mme Cocteau emménage avec son fils dans l'immeuble de la rue d'Anjou que la comtesse habite, aux environs de la Madeleine...

Un visage de rapace et des allures hommasses, la descendante du marquis de Sade va d'abord opposer une brusquerie royale aux élans du jeune snob à qui un sort injuste a attribué l'appartement qui surplombe de quelques étages le sien. Celle que Morand désignera comme la première femme du monde à avoir dit *merde !* et qui affirmait avoir *tout appris en baisant* va même redoubler de virilité, tel un Montesquiou, lors de leurs premières rencontres. Cocteau se ruant sur son loulou blanc de Poméranie pour se frotter à son museau, elle le rabroue de sa voix *enrouée par des*

---

comme si de lui aussi j'avais été amoureux, écrit-il dans le chapitre « La comtesse » intégré au *Contre Sainte-Beuve*.

siècles de commandement et l'abus des cigarettes Caporal : *Attention, vous allez lui mettre de la poudre de riz !* Comme si ce jeune parfumé risquait d'efféminer son Kiss et par ricochet sa personne, pourtant à l'abri de tout soupçon depuis qu'elle a passé la cinquantaine.

La Chevigné est l'une des rares femmes à sortir sans mari dans Paris, mais on n'approche qu'avec crainte ce dragon, qui peut lancer à son vieux domestique quand il ose la déranger : *Qu'é qu'y a encore, Auguste ?* Proust lui-même a cessé de courir la campagne pour entrapercevoir cet excellent fusil tirer la bécasse. Sa passion est devenue si douloureuse, à force de s'intérioriser, qu'il a commencé là encore à réinvestir ses sentiments pléthoriques dans l'élaboration d'une figure qui va marquer son œuvre autant que celle de Charlus. Aussi a-t-il plus que jamais besoin, pour faire de cette descendante de la Laure de Pétrarque l'inspiratrice de son livre, en la personne de la duchesse de Guermantes, d'informations décisives à son sujet.

Frisée comme un page et dure comme un hobereau, la comtesse de Chevigné cache sous une humeur de dogue des formes déroutantes de drôlerie. Apollinaire lui-même apprécie l'humour de charretier de cette Amazone qui reçoit chaque semaine des hommes de haute naissance. Est-elle le comble de la grossièreté paillarde, ou l'incarnation du chic *gentry* le plus *rugueux* ? Cocteau ne s'est pas posé la question que les portes se ferment devant lui. *Mes vieux grognent, quand ils sentent la chair fraîche*, feint-elle de regretter.

Il en faudrait plus pour le rebuter. Ayant retenu

la leçon de Montesquiou, il développe une stratégie patiente qui sera plus parlée qu'épistolaire, malicieuse que flagorneuse, au contraire des arabesques écrites de Proust. Alors que ce dernier assimile la comtesse à une race *issue d'une déesse et d'un oiseau,* Cocteau apprend plus modestement à ne plus contrarier sa virilité ombrageuse, son indépendance farouche et ses goûts péremptoires, faits de mille dégoûts.

C'est pourtant sa brusquerie qui le fascine : aucune impudeur n'effraie cette Diane chasseresse qu'il surnomme déjà *le caporal Pétrarque.* Mais son affection ne dépassera pas le stade de la connivence un peu salace, à lire les nombreux portraits qu'il laissera de cette reine en pantalons : il est trop occupé par sa propre ascension pour faire plus que se frotter à la Chevigné.

C'est assez, néanmoins, pour aiguiser la passion malheureuse de Proust. Aimant de façon dévorante, absurde, incompréhensible la Chevigné, il se retrouve déchiré entre l'envie et l'espoir, en voyant son cadet entrer dans les petits papiers de la comtesse. Chaque instant que Cocteau passe avec son idole le prive de moments précieux pour son œuvre ; cette mine fabuleuse d'informations est comme arrachée à sa chair.

L'indiscrétion de Cocteau n'ayant d'égale que la paillardise de la comtesse, il les imagine déjà se faisant des confidences graveleuses à son sujet : à la peine de se voir préféré socialement s'ajoute la terreur d'être trahi sexuellement.

Proust n'aura jamais la confirmation de ses soupçons,

mais il n'aurait pas hésité à provoquer Cocteau en duel, le cas échéant. N'ayant les clefs d'aucun de leurs appartements, il se résigne à imaginer leurs échanges, avec toutes les frustrations qu'on suppose. Le monde a beau ne plus « l'intéresser », sa réceptivité à ce qu'on peut y dire de lui reste dévorante.

L'ère du soupçon

Tendant à faire de la nuit le jour et d'un lit de camp son bureau, Proust s'enfouit plus que jamais derrière les parois de liège du boulevard Haussmann. La seule vue du soleil l'accablant, ses persiennes restent perpétuellement closes ; ce n'est qu'à la lueur des ampoules qu'il supporte d'exister, au cœur de ces insomnies qui sont sa croix et son salut. Comme Saint-Simon au cœur du XVIIIe siècle, Proust s'ensevelit pour ramener à la vie le passé.

Son teint livide dit bien l'intensité de son retrait, l'inversion que son existence subit. « Du moment que (...) j'ai pour la première fois tourné mon regard à l'intérieur vers ma pensée, je sens tout le néant de la vie, cent personnages de roman, mille idées me demandent de leur donner un corps, comme ces ombres qui demandent dans *L'Odyssée* de leur faire boire un peu de sang pour les mener à la vie », notait-il déjà en 1905.

Ses sorties sont de plus en plus consacrées à revoir des êtres, des lieux, des paysages ou même des arbres qu'il souhaite ressusciter dans son livre ; son argent sert, à l'exemple encore de Saint-Simon, à acheter les valets susceptibles de le renseigner sur leurs maîtres. Il aura bientôt recours à une voiture de louage, véritable fiacre de nuit de Fantômas, dit Cocteau, afin d'effectuer des randonnées d'où il rentre à l'aube, *blême, les yeux cernés de bistre, une bouteille d'Evian dépassant de sa poche, sa frange noire sur le front, une de ses bottines à boutons déboutonnées, son chapeau melon à la main, pareil au spectre de Sacher Masoch.*

A son grand étonnement, Cocteau le voit débarquer chez lui, par une matinée radieuse de 1912. Il reste à dévisager cet homme habitué à vivre dans le noir... *Il avait l'air d'une lampe électrique restée allumée le jour – d'une sonnerie de téléphone dans un appartement vide*, note-t-il en le découvrant sur le palier de la rue d'Anjou. Jaillie du présent posthume où elle vit recluse, l'apparition lui propose d'aller voir les toiles de Gustave Moreau que possède une de leurs relations, avec tant d'insistance que Cocteau se décide à la suivre jusqu'au Louvre.

L'arrivée de Proust dans le dédale du musée saisit le public. *Les gens ne regardaient plus les tableaux, ils le regardaient avec stupeur.* Comme si l'un des modèles portraiturés avait eu l'opportunité de revenir sur terre, dans un costume également inadapté aux deux époques.

Arrivé devant le *Saint Sébastien* de Mantegna, Proust commente la nudité criblée de flèches du saint, comme il l'avait fait autrefois avec le jeune Lucien Daudet, dans l'espoir d'aiguiser sa sensibilité et, qui sait, de vaincre ses résistances. Les deux hommes communient dans leur admiration pour l'art de Mantegna et l'anatomie de sa victime. Soudain, Cocteau se met à dire « La Pallas d'Homère », l'un de ses tout derniers poèmes, avec cet enthousiasme qui enflamme tout ce qu'il évoque. Un moment si fort que Proust reparlera souvent de ce *matin glorieux où le soleil perçait saint Sébastien de ses flèches.*

C'est qu'au contraire de l'amour et de l'amitié, l'art a le pouvoir unique, à ses yeux, d'accorder deux sensibilités dans l'admiration d'une troisième, de les fondre dans un même sentiment sans que leur différence rende cette communion douloureuse, en les renvoyant à leur solitude respective. « Par l'art seulement nous pouvons sortir de nous, savoir ce que voit un autre de cet univers qui n'est pas le même que le nôtre, et dont les paysages nous seraient restés aussi inconnus que ceux qu'il peut y avoir dans la lune. Grâce à l'art, au lieu de voir un seul monde, le nôtre, nous voyons le monde se démultiplier, et, autant qu'il y a d'artistes originaux, autant nous avons de mondes à notre disposition, plus différents les uns des autres que ceux qui roulent à l'infini, et, bien des siècles après que s'est éteint le foyer dont il émanait, qu'il s'appelât Rembrandt ou Vermeer, nous envoient encore leur rayon spécial », écrit-il…

Autre indice de la radicalisation littéraire de Proust, quand Cocteau vient le visiter boulevard Haussmann, il a désormais droit à des lectures de la *Recherche*. Après lui avoir fait traverser des rangs de meubles couverts de housses que les déménageurs semblent avoir déposés la veille, un domestique le mène vers *cette chambre de liège, de poussière et de fioles* où Proust, couché et ganté pour ne pas se ronger les ongles, écrit dans la pénombre.

L'odeur pestilentielle des fumigations anti-asthmatiques Legras le gagne, sa silhouette maigre se dissout dans le *sfumato* ambiant.

Cent fois Cocteau décrira la guérite de liège, la table couverte de fioles, la *fourrure de poussière* enrobant les meubles jamais époussetés, la table d'ébène couverte de *photographies de cocottes*, de duchesses et de valets de pied, *la cheminée à glace morte* et les housses, les housses... et au terme de ce capharnaüm, couché raide et de travers, le corps de son ami, allongé dans *un sarcophage de détritus d'âmes, de paysages...*

« Cher Jean, n'avez-vous pas tenu la main d'une dame qui aurait touché une rose ?

— Non, Marcel. »

Après mille précautions d'usage et protestations de modestie, Proust s'empare d'un de ses cahiers d'écolier pour soumettre son cadet à un test. Mais son écriture est si proliférante, si enchevêtrée aussi, qu'il peine lui-même à la déchiffrer. Souvent interrompue par le déploiement des *paperolles* qui donnent une dimension presque sculptée à son manuscrit – les plus longues atteindront jusqu'à deux mètres de long –, la lecture trouve enfin son rythme de croisière...

Mais que ces phrases sont tortueuses, avec leurs chevilles tordues, leurs cascades de relatives, et ces subordonnées enchevêtrées qui dissolvent le peu d'intrigue !

… L'homme aux mains glacées repousse soudain ses couvertures et les bouillottes qui tiédissent sur son ventre pour gagner un cabinet de toilette *d'affaire criminelle.* Il s'y soulage discrètement, à l'abri de son manuscrit-accordéon. Ne le voyant pas revenir, Cocteau quitte sa *guérite de liège* pour le retrouver parmi les fauteuils couverts de housses de lustrines et les banquettes empestant la naphtaline, ou dressé contre la cheminée d'un salon fleurant le second Empire : *couvert de barbes, de perruques, de gants et de pelisses,* Proust lui fait penser alors à quelque inventeur fou, piégé au milieu des mers, au capitaine Nemo dans la cabine du *Nautilus.*

Une voix sourde interrompt pour finir la traversée, comme si elle émanait d'un troisième homme. Décrétant son livre *rasoir,* avec une sorte d'indignation aggravée, le gisant plante là son auditeur. Trop sensible au timbre des stentors du Français pour ne pas lui donner intimement raison, Cocteau proteste, argumente, supplie avant que Proust, de retour dans son petit lit de cuivre, ne consente à piocher un nouvel extrait, tout en pestant contre le lecteur calamiteux qu'il fait.

Et la voix chancelante jaillit de nouveau de la poitrine plastronnée, comme *la voix des ventriloques sort du torse,* donnant corps à ce livre à mille bras – elle *organisait le long de son récit un système* (…) *de vestibules, de fatigues, de haltes, de politesse, de fous rires, de gants blancs écrasant la moustache en éventail sur la figure*, dira Cocteau.

Presque aussi allergique que son ami, au milieu de cette houle de fumigations et de phrases, il en vient à tousser. Trop sensible pour ne pas deviner qu'il décroche, Proust entame un nouvel épisode sans aucun rapport avec le précédent, à la confusion de son hôte. *Parfois il sautait un paragraphe en me disant : « Je saute parce que ce passage ne sera expliqué qu'au cinquième volume »*, ajoute Cocteau. Ou bien Proust précise : *J'espère que personne ne comprendra rien*, en éclatant de rire. Parfois enfin il s'interrompt au milieu d'une incise pour s'exclamer : *C'est trop bête ! Non je ne lis plus... C'est trop bête !*, avant de gémir des excuses, de rire de son incroyable maladresse, de tourner en dérision sa propre politesse, puis de tendre au hasard le bras pour tirer une nouvelle feuille du grimoire – *nous tombions à pic chez les Guermantes, ou chez les Verdurin...*

La chambre de Marcel Proust, boulevard Haussmann, fut la première chambre noire où j'assistais presque chaque jour – il serait plus juste de dire chaque nuit, car il vivait la nuit – au développement d'une œuvre puissante, ajoutera Cocteau, en comparant l'aura électrique du regard de son aîné au *flash* d'un appareil photo éblouissant les ténèbres.

Certains jours, le souvenir de l'échec de *Jean Santeuil* réveille la crainte de Proust d'être moins un romancier qu'un amateur fait pour la traduction, les pastiches et les petits traités esthético-philosophiques mais incapable, faute d'imagination, de s'épanouir dans un genre en particulier. De quoi nourrir les doutes de Cocteau sur la pertinence d'un style aux incessants repentirs, aux antipodes du ton assuré dont il use lui-même, et sur la viabilité d'une œuvre que son auteur est le premier à juger *asphyxiante*.

La réclusion de son ami lui semble soudain jouée, à l'image de cette barbe noire, si étrange sur ce visage encore juvénile, si théâtrale qu'elle lui fait l'effet d'un postiche de crin, ou de ces cheveux en pagaille qu'il coupe, un peu au hasard, avec des ciseaux à ongles. Comme s'il posait au fou guetté par le génie, tout en dissimulant cette prétention sous des excès de modestie. *Proust, grâce à sa fortune, vivait enfermé avec son univers, il pouvait se payer le luxe d'être malade, il était, en fait, malade par possibilité de l'être*, dira Cocteau dans *Opium*. Son aîné n'était-il pas le premier à décrire l'année qu'il passa dans le 76e régiment d'infanterie d'Orléans comme la plus heureuse de sa vie ? Cocteau était face à un vieil enfant resté figé à l'âge où l'on croit créer ce qu'on nomme, et où lui-même, alité avec une fièvre factice, refaisait les décors des opéras dont sa mère lui ramenait les programmes...

Plombé par sa vieille réputation d'amateurisme, le plus chimérique des Parisiens peine encore à convaincre son cadet de sa radicale implication artistique. Comme si Cocteau le soupçonnait de parfaire un cérémonial plus qu'une œuvre et qu'il était moins un auteur qu'une bête de foire, un poulpe dans son *aquarium glauque*...

Quand Cocteau lui avoue avoir été *saccagé d'amour* à la lecture des *Eblouissements* d'Anna de Noailles, au terme de sa brève scolarité, Proust mesure l'émotion que son propre livre n'arrive pas à susciter en lui. En s'entendant demander une lettre pour cette femme qu'il a lui-même tant admirée, il se voit confirmer qu'il n'est pas le héros littéraire de son cadet. Pourtant, il se fait une dernière fois l'agent d'un rapprochement dont il a des raisons de penser qu'il en sera le premier meurtri…

Un ton froid où par discrétion vous ne lui diriez que le quart de ce que vous pensez et qui eût peut-être paru du meilleur goût à M. de Sacy[1]*, ne la toucherait pas*, prévient-il Cocteau, après avoir lui-même passé, sans grand succès, trois ans à célébrer la poétesse, à la lumière de laquelle il disait pourtant avoir *appris à écrire*. Fort de son savoir, Cocteau parvient à lever d'emblée les réticences de cette toute petite femme à la peau d'ivoire. Sortant de son *mutisme extasié*, Anna de Noailles envoie au jeune auteur de vingt-deux ans quelques vers de son cru, calligraphiés à l'encre violette. Frappant à la porte de la rue Scheffer pour lui crier son admiration, Cocteau lui offre tous les éloges que Proust rêve de susciter, et désespérera longtemps de recevoir.

Une frange coupée au bol et un nez taillé à la serpe, Anna de Noailles est *royale, péremptoire, cinglante*. La gloire a frappé ce prodige d'un mètre cinquante dès la publication de ses premiers poèmes, dix ans plus tôt ; enseignée à tout juste trente-six ans dans les lycées, elle

1. Directeur janséniste des religieuses de Port-Royal, sous Louis XIV.

est tenue pour l'un des phares de la littérature européenne. Le jeune Rilke la traduit et la commente religieusement ; après avoir convoité en vain son petit corps de *Christ espagnol*, qu'elle laisse deviner à travers des déshabillés voluptueux, Barrès s'est résigné à l'admirer platoniquement : nourrie de mots, d'électricité naturelle et de parfums, la *Minerve byzantine* n'a nul besoin de caresses humaines. *Elle était le point le plus sensible de l'univers*, ajoutera Barrès, l'œil noirci par la frustration, avant d'assurer que morte, *il la désirerait encore.*

Après tant d'autres, Cocteau subit la grâce de la Noailles, le pouvoir de sa gouaille savante, de sa drôlerie, de *ses petites mains ouvertes, projetées d'elle comme d'une fronde,* (*de*) *ses gestes jonchant le sol de voiles, d'écharpes, de colliers, de chapelets arabes, de manchons, de mouchoirs, de parapluies Tom-pouce.* Les aveux se télescopent dans sa bouche jusqu'à engendrer une compote *d'idées et de sensations* qui le méduse. Qu'elle invoque l'actualité la plus brûlante ou la poésie la plus recherchée, elle le hisse au sommet d'un panthéon de poètes et de savants, de saints et de princes, qui semblent vivre pour elle. Au diapason de tout ce qui se passe dans le globe, elle dresse son drapeau pour le capitaine Dreyfus comme pour le roi d'Angleterre – ce sera aussi le cas pour la Révolution russe. L'amitié de quelques souverains stimule à l'excès son credo républicain : tant de chefs d'Etat se pressent dans sa chambre qu'elle peut s'enflammer pour toutes les idéologies, les rendre dérisoires aussi. *Elle courait au rouge, celui de Lénine, celui d'un cardinal, celui d'une rose, celui de la Légion d'honneur*, suggère Cocteau.

« Elle faisait rire perpétuellement par des rapprochements comiques (...), confirme Proust ; dans toute circonstance de la vie, elle découvrait quelque chose de drôle (...), car une personne fine, que la faculté de sympathie met à la place de chacun au lieu de rester tout le temps en soi, voit partout du comique. » Cocteau ajoute que la *gavroche de Byzance* trouvait toujours l'angle le plus cocasse et l'éclairage le plus dur pour donner leur relief aux choses.

Les certitudes de la Noailles l'exaltent – *elle voulait soigner ses docteurs*, dit-il. Galvanisé par cette nouvelle figure de chasteté trépidante, après Montesquiou, il perd toute forme de réserve ; leurs hystéries fusionnent jusqu'à susciter, par simple contact, un semblant de réalité. Proust dénoncera l'admiration passionnée comme l'unique forme de critique littéraire permise alors – il parle encore en connaisseur : elle ordonne le culte en miroir qu'ils se vouent. Hypnotisé par cette autre enfant prodige, Cocteau en vient à utiliser son encre violette pour mieux imiter son écriture et ses vers. Surnommé *Anna-mâle*, il drogue d'encens cette femme *divinement simple et sublimement orgueilleuse*, aux dires de Proust.

La fréquentation de sa chambre, après celle des salons où l'a précédé Proust, encourage Cocteau à ramasser ses visions. Mallarmé ? *Du cristal en bloc.* Francis Jammes ? *Une primevère qui rote.* André Germain ? *Un enfant qui donne des lavements de strychnine à sa poupée.* Des formules qui vont leur chemin, font souche un peu plus loin, se voient à leur tour attribuées à Proust, Daudet ou Barrès. *Parler est pour moi une espèce de joie comme sans doute de (...) danser pour (Isadora) Duncan*, écrit-il alors à François Mauriac, son aîné de quatre ans, qui en tombe amoureux.

Grisé par ses dons, Cocteau devient un orgue débitant tirades, paradoxes et bons mots, des formules qu'Anna de Noailles s'approprie à son tour, amorçant un contre-mimétisme exaltant. Comme elle – et comme Proust –, il se met à recevoir dans sa chambre afin de faire entendre les prodiges qui sortent de sa bouche. Ambitionnant une sorte de 8e art qui aurait le pouvoir d'esthétiser l'ensemble de l'existence, il abolit toute distinction entre vies publique et privée...

Le prestige dont Anna de Noailles l'entoure achève de transformer le jeune efféminé dont la Chevigné craignait le contact, dans les escaliers de la rue d'Anjou, en un jeune espoir électrique : à l'Opéra, comme dans les dîners en ville, c'est Cocteau qui accompagne désormais la comtesse, et qui par son insolence l'arrache au *spleen*. A l'ambassade d'Angleterre, l'aboyeur en livrée les annonce sous le titre flatteur de *comte et comtesse d'Anjou*, du nom de la rue délimitant leur fief ; Cocteau se permet même d'enfermer Kiss dans un pare-feu de verre cerné de morceaux de sucre sans qu'elle s'en offusque : l'apaisement du rhume de foin de son page passe avant l'amusement de son chien.

Ces faveurs réveillent la jalousie du *petit Marcel*, qui souffre de savoir ensemble deux personnes qu'il aime. Privée de la présence « royale » de la Chevigné, l'abeille proustienne vrombit en vain dans son appartement désert. Elle brûle de recueillir le savoir qu'à son insu la comtesse distille, à travers son parler rugueux descendant de la langue écrite par Mme de Sévigné, auquel l'adjonction incongrue de tournures paysannes donne un sel inimitable. Elle a beau continuer d'étouffer la Chevigné sous les fleurs, dans l'espoir d'obtenir une entrevue, puis des détails sur la vie qu'elle menait au temps de leur rencontre, elle n'obtient que des miettes...

Cocteau est tellement plus amusant ! Il ne parle pas de son passé mais de Nijinski et de la Noailles, ces gloires du jour qui ont le don de rajeunir la comtesse. Largement reçu, au contraire de Proust, il connaît *de l'intérieur* le monde et n'a nul besoin de la questionner à tout-va pour en saisir la signification : elle est bien placée pour savoir qu'il n'en a aucune. Indemne de toute forme d'intelligence littéraire, elle achève de faire de Cocteau le confident de la lassitude croissante que la cour du *petit Marcel* lui inspire.

Ravalant son orgueil, Proust en vient à demander à Cocteau de se faire son avocat auprès d'elle. Mais la Chevigné détestant se sentir suivie, Cocteau doit plaider *a minima* et inventer des excuses toujours plus subtiles pour échapper aux pressions de son ami. Pris entre les fils de l'araignée blessée et les crachats du dragon armorié, il marche en funambule sur le fil qui les sépare. *Vous êtes un être admirable, mais il faut bien se résoudre à voir que vous n'êtes pas un ami véritable*, finit par se plaindre Proust, en juillet 1913.

Manqua-t-il d'empathie pour cet homme maladif

qu'il aperçut un jour, par une porte entrouverte de son appartement, engloutissant debout un plat de nouilles froides, dans un cabinet de toilette *lugubre*, puis boutonnant un gilet de velours violet sur *un pauvre torse carré qui semblait contenir ses mécaniques* ? Proust lui reprochera d'*affecter* l'indifférence pour ceux qui l'aiment, puis de croire que d'avoir l'air de dédaigner peut grandir. Mais tous les amis de Proust subirent ce genre d'accusation, y compris les plus zélés, et la plupart se résignèrent devant un mal nécessaire. Il suffisait de sonner le soir même chez lui, comme si de rien n'était, pour que la relation reprenne, cahin-caha...

Proust découvre encore, à travers un lapsus de Lucien Daudet, quel plaisir Cocteau prend à l'imiter, au sortir de leurs rencontres. Oubliant combien il aime lui-même contrefaire Montesquiou, à peine le comte a-t-il le dos tourné, il range avec dépit son cadet dans cette race d'hommes « qui tant qu'ils sont auprès de vous vous comprennent, vous chérissent, s'attendrissent jusqu'à pleurer, (qui) prennent leur revanche quelques heures plus tard en faisant une cruelle plaisanterie sur vous, mais vous reviennent, toujours plus compréhensifs, aussi charmants, aussi momentanément assimilés à vous-mêmes » – race dont il analyse d'autant mieux les ressorts qu'il en fait depuis toujours partie. A ce détail près que le mimétisme, dans son cas, n'est qu'une étape dans la recréation sacrilège de ses idoles.

Cocteau perçoit-il trop bien cette impuissance à être que Proust désignera comme *la tristesse de sa vie*, dans *Contre Sainte-Beuve* ? Il ne lui donne sans doute pas assez de preuves d'admiration littéraire, en compensation ; et s'il l'admire, il ne l'entoure pas d'un respect « religieux », contrairement à d'autres, et se garde bien d'entrer trop à fond dans sa logique. Sachant les horaires extravagants de Proust, qui pourra proposer à Maurice Rostand un rendez-vous à six heures du matin sur le parvis de Notre-Dame, il agit sans tenir compte du rituel aberrant qui accompagne ses sorties. Quand le retard de son aîné dépasse les bornes, il se contente de descendre chez Mme de Chevigné pour l'attendre, tout en distrayant cette dernière – une « trahison » qui ne fait qu'aggraver son cas.

Un soir qu'il remonte chez lui, aux alentours de minuit, il trouve, sur le palier qu'il partage avec sa mère, Proust plongé dans les ténèbres. « Pourquoi n'êtes-vous pas au moins entré m'attendre chez moi ? s'étonne-t-il.

— Cher Jean, Napoléon a fait tuer un homme qui l'avait attendu chez lui. Evidemment, je n'aurais lu que le Larousse, mais il pouvait traîner des lettres, etc. », répond Proust, avec une dérision qui cache mal ses rêves contournés de vengeance[1].

Aussi prompt à se détacher qu'à se lier – *Avec moi, cela ne dure que dix-huit mois,* a-t-il confié à Lucien Daudet –, Proust cesse de menacer Cocteau de son amour. L'être si désirable redevient progressivement une sorte

---

1. *Je me demande par quels prodiges du cœur mes chers amis Antoine Bibesco, Lucien Daudet, Reynaldo Hahn, gardèrent l'équilibre,* écrira plus tard Cocteau.

d'étranger accessible uniquement à travers le prisme de l'art ; privé de cette connaissance intime qu'offre la sexualité, Proust n'est pas loin de le juger *impénétrable*, dans le courant de l'existence ordinaire.

Mais cette déconvenue est devenue partie intégrante de sa philosophie désespérée. En lui confirmant l'impossible réciprocité qui mine toute relation, et la radicale étanchéité des mondes où évoluent les êtres les plus proches – on ne trouvera presque aucun couple qui tienne dans la *Recherche* –, Cocteau l'encourage à se dissocier un peu plus encore de ses sentiments. Convaincu de l'inhumanité intrinsèque de leur monde, Proust ne tentera plus sa chance auprès de jeunes bourgeois, encore moins de jeunes aristocrates, comme avec Antoine Bibesco ou Bertrand de Fénelon autrefois : la promesse Cocteau aura été la dernière à mobiliser ce qui restait d'appétits amoureux égalitaires chez Proust. Il ne cherchera plus, à l'image de Montesquiou, que la compagnie physique de secrétaires et de valets, dont certains partageront son logis, avant de se rabattre sur les hôtels de passe.

L'influence que la Noailles prend sur lui et l'attention croissante qu'il consacre à la Chevigné confirment à Proust que son cadet perd son temps. Devinant artifice et complaisance derrière sa gaieté continuelle, il le met en garde contre l'idolâtrie, l'érudition et le mimétisme, ces péchés qui minèrent sa propre jeunesse. *Ce qu'un autre aurait écrit aussi bien que toi, ne l'écris pas*, a-t-il envie de lui dire, fort des vingt ans qui les séparent. *Savez-vous exactement ce que vous faites ?* lui chuchote-t-il à l'oreille, en le voyant noailliser. *Vos vers sont comme déjà écrits, conformes à ce qui se publie de mieux. Vous ne pensez pas votre art, c'est l'époque qui le conçoit ; comme la lune et les miroirs, vous brillez d'un éclat second.*

Proust en est désormais convaincu : les moments ordinaires de la vie sont plus féconds potentiellement que les saillies d'une soirée parisienne, ou même que l'adhésion forcenée à une esthétique, comme il le croyait encore en rendant un culte à Ruskin, le critique d'art britannique. Un abandon à ce que l'on a de plus banal, de plus irrationnel ou de plus démuni a plus de chances de susciter de la littérature que les « chefs-d'œuvre » qui s'esquissent dans l'air de la rue Scheffer. C'est lorsqu'un son, une odeur ou une œuvre nous ramène un souvenir d'enfance enfoui qu'on a l'occasion d'atteindre notre être véritable, le seul à pouvoir nous rapprocher en profondeur des autres. C'est au spectacle de la nature, dans le silence du soir, qu'on risque d'entrevoir la signification dernière des choses, plus qu'en cherchant à investir de nouveaux êtres remarquables : comme si notre vérité résidait dans les expériences conjuguées de ces surfemmes et autres surhommes !

Ayant perçu dans l'éloquence de son cadet un organe *défensif* chargé de couvrir les défaillances de son caractère, Proust dénonce désormais une intelligence trompeuse cachant *un manque de profondeur et d'humanité.* Bien placé pour connaître les ruses des talents littéraires voués à la dilapidation parisienne, il lui assène que les livres sont les enfants du silence et de l'abolition du *soi* social. « Un écrivain, qui aurait par moments du génie pour pouvoir mener le reste du temps une vie agréable de dilettante mondain et lettré, est une conception aussi fausse et naïve que celle d'un saint, ayant la vie morale la plus élevée pour pouvoir mener au paradis une vie de plaisirs vulgaires. »

Mais la potion est trop amère pour le tout jeune Cocteau. Il ne veut pas devenir ce spectre dont tout le sang est en passe de tourner à l'encre, comme son aîné. Nietzschéen convaincu, il se refuse à sacrifier son corps à la littérature et à s'ensevelir vivant ; il persiste à vouloir vivre *et* écrire simultanément, étant aussi doué pour l'une et l'autre activité. Pourquoi faudrait-il mourir pour engendrer, comme le croyait la bohème romantique ? Des écrivains comme Wilde n'ont-ils pas vécu de plain-pied dans la société et signé des livres majeurs ? Comment l'appartement désert de son aîné, avec ses meubles couverts de housses, pourrait-il d'ailleurs rivaliser avec la « ruelle » si courue de la comtesse ? Répétitifs comme ceux d'une mère, les reproches proustiens ne l'atteignent qu'en surface. Les appels à la discipline d'un aîné incapable de se plier au moindre horaire, et qui peut soutenir une chose et son contraire, le laissent de marbre.

Proust est un chrétien littéraire trop tardif, quoi qu'il en soit, pour arracher la conversion d'un jeune « païen » comme Cocteau. Ne disait-il pas que la personnalité d'Anna de Noailles ne pouvait susciter que le fanatisme, il y a quelques mois encore ? Ne la présentait-il pas comme une *reine* trônant sur son univers, tel l'astre guidant les rois mages ? A la fin de 1909 encore, il l'assurait qu'il se retirait pour écrire un roman dans le désir *de mettre assez de moi en quelque chose, pour que vous puissiez un peu me connaître et m'estimer...*

Cocteau se laisse d'autant moins intimider qu'il est bien placé pour savoir que la retraite de Proust reste relative, et qu'il n'y a en aucun cas scission entre sa vie mondaine et son effort littéraire : l'une nourrit l'autre, y compris sur le mode critique, comme le pollen nourrit la ruche. Quitte à faire son miel en société, Cocteau préfère le recueillir auprès d'Anna de Noailles : au moins parfait-il son art auprès d'un vrai poète.

Comment Cocteau se laisserait-il convaincre qu'il a tort, pour finir, quand toute la société lui donne raison ? Lorsque Marie Scheikévitch, la grande amie de Proust et d'Anna de Noailles, le compare à ce que le jeune Voltaire fut en son temps ? *Il marchait avec l'orgueil d'un oiseau sauvage tombé par hasard dans une basse-cour*, ajoute la princesse Bibesco. *Il apparaissait comme un de ces* princes de la jeunesse *que tout Athènes célébrait à l'envi*, se souvient Bernard Faÿ. *Il était difficile d'avoir plus de charme et de joindre à un plus vif désir de charmer*, écrit de son côté le fils de Réjane. *Je n'ai jamais connu jeune homme qui m'ait à ce point fait songer à la* bénédiction d'être vivant par une pareille aurore *de Wordsworth*, confirme Edith Wharton. Eblouie par son intelligence, la romancière américaine en vient à regretter qu'il ne se retire pas à la campagne, afin d'écrire une œuvre que tous devinent majeure.

Déjà plus critique, Jacques-Emile Blanche voit dans le jeune homme qui pose devant son chevalet l'ultime écho des jeunes dandys à camélia qu'il portraiturait vingt ans plus tôt, de Proust à Wilde : mêmes poses étudiées, même volubilité maladive, même aptitude à tout sacrifier pour un mot. *La fraîcheur d'un éternel adolescent, et la terrible, désastreuse expérience d'un vieillard*, note-t-il dans son journal. Mais le peintre découvre aussi son ardeur au travail, après l'avoir invité dans sa maison de campagne avec Edith Wharton. N'ayant aucune notion de l'heure non plus, Cocteau est le dernier à écrire, jusqu'à l'aube parfois, des poèmes dont l'élaboration mobilise toute la maisonnée. *On a peur en présence d'un tel phénomène*, avoue Blanche, en le voyant travailler à *La Danse de Sophocle*.

Renvoyant à la danse que *le jeune et divin Sophocle* exécuta nu dans Athènes, après la victoire navale de Salamine, le titre dit à la fois l'ambition de Cocteau et son état d'exaltation. Torche qui brûle *devant chaque temple*, coq fier d'être jeune en France, il prévient d'emblée, pour qui n'aurait pas compris : *C'est vous Paris, ma chère Athènes*. Il chante sa joie de voir surgir, quand il trempe sa plume dans l'encrier, *des vers que l'on voudrait crier* (...), *chanter, soupirer, rire*... Tel Nijinski se faisant rose, oiseau, poupée, ou l'enfant Septentrion qui inventa la danse en voyant la mer se soulever, avant de mourir d'avoir trop caracolé sur la plage, il tourne inlassablement sur lui-même.

Premier lecteur de ses poèmes, Proust oublie sur-le-champ toute prévention. Saluant le plus concerté de ses recueils de jeunesse, il rivalise d'admiration avec Reynaldo Hahn : quand l'un dit son poème préféré, l'autre en cite un second qui le *surpasse* en beauté. S'exaltant l'un l'autre, l'écrivain et le musicien finissent par reprendre le volume à zéro et découvrent de nouvelles *merveilles*.

Proust pourra craindre que « La Pallas d'Homère », que Cocteau lui récita devant le *Saint Sébastien* du Louvre, ne rappelle un peu trop Anna de Noailles, mais il reconnaîtra que l'accent en est absolument différent, le *je* de Cocteau n'étant en aucun cas celui de la poétesse. Et si sa poésie évoque à certains endroits Musset, c'est avec *autrement d'ampleur dans l'image et de profondeur dans l'inspiration.*

« Je vous ai déjà écrit toutes les beautés que je trouvais dans les pièces parues dans *Le Figaro* et dans *La Revue hebdomadaire*, ajoute l'aîné. Je crève de jalousie quand je vois dans vos ravissantes pièces sur Paris comme vous savez évoquer des choses que j'ai ressenties et que je n'ai pu arriver à exprimer que d'une façon si pâle (…). C'est émouvant de penser que de cette seule fleur si belle et si douce, si innocente et si penchée que vous êtes, a pu s'élever et se construire, sans que la tige fléchît et cessât de plaire et d'être flexible, cette immense et solide et dense colonne de pensée et de parfum. »

Comment Cocteau garderait-il le moindre doute ?

Déjà capable de dessiner comme Sem, d'occuper la scène comme de Max, de danser avec Nijinski, il se persuade de valoir plus que tous ceux qui l'ont influencé, de Montesquiou à Anna de Noailles. Cette impression d'être investi d'une mission, cet *enthousiasme* qui désignait le délire sacré des devins, dans le monde antique, la transe qui le gagne lorsqu'il écrit, danse ou dessine, cette aptitude à devenir tous les génies qu'il admire, à prendre mille formes successivement... Il est un fragment détaché du Créateur, l'un des organes terrestres par lesquels Il délibère, afin d'améliorer Sa Création.

La critique sera plus sobre. Elle soulignera les emprunts et les exagérations. En le traitant de ludion, l'article de Henri Ghéon, un ami de Gide, réussit même à blesser par ricochet Proust, qui tolère mal de voir son cadet traité, à vingt-trois ans, comme un poète d'*autrefois*, le plus extraordinaire des jeunes pour vieux d'alors.

L'échec du *Dieu bleu*, le ballet que Diaghilev lui a commandé et où il a renchéri sur l'orientalisme ambiant, avec la complicité musicale de Reynaldo Hahn, achève de troubler Cocteau. En entendant l'imprésario lui lancer avec agacement *Etonne-moi !*, alors qu'ils traversent la place de la Concorde, il devine qu'il ne peut plus se contenter de reprendre des formules gagnantes. *Sans doute*, dira-t-il à la cinquantaine passée, *Proust, unique à démêler l'architecture d'une vie, en savait-il plus long que moi sur cet avenir que tout me cachait, d'autant plus que je croyais mon présent de premier ordre, alors que, plus tard, je devais le considérer comme une suite de fautes graves.*

En attendant, il fait tout pour perpétuer l'ivresse de cette inoubliable année 1912.

La Recherche

Premier volume d'une œuvre au long cours, *Du côté de chez Swann* peine cependant à trouver preneur. Après avoir promis de publier l'ouvrage en feuilleton dans *Le Figaro*, Calmette, son directeur, se contente d'en donner quelques extraits en 1912, dont l'épisode des aubépines aux curieuses connotations érotico-religieuses – *un mélange de litanies et de foutre*, note Montesquiou.

Cocteau manœuvre durant toute l'année 1913 pour trouver à Proust un éditeur acceptant de publier *intégralement* l'ouvrage. Fort de sa notoriété, il pousse Edmond Rostand, via son fils Maurice, à solliciter Fasquelle, qui a déjà édité Flaubert et Zola et sur qui l'auteur de *Cyrano* a une réelle influence, proportionnelle à ses ventes. S'il est réputé pour son savoir-faire commercial, Fasquelle a pour devise éditoriale : *Il faut que rien ne nuise à l'action !*, et ce n'est pas le principal mérite de l'introït proustien. Effrayé par une prose contraire à tout ce que le public a l'habitude de lire, Ollendorff se défile aussi ; enfin, l'hostilité de *La NRF* pour le *mondain amateur* qu'est encore Proust aux yeux de tous entraîne le refus de Gaston Gallimard, dont les éditions n'ont pas deux saisons. La psychologie *dans le temps et l'espace* de la *Recherche* est entrée en conflit avec des éditeurs restés majoritairement... euclidiens.

En retrouvant sa pile de manuscrits ficelée de la même façon qu'à leur envoi, Proust se persuade qu'il n'a jamais été lu chez Gallimard : ... *La vie m'est si cruelle, en ce moment*, se plaint-il à Cocteau, en évoquant à demi-mot l'existence d'Agostinelli, le chauffeur sans emploi dont il a fait son secrétaire, avant d'en tomber désespérément amoureux.

Au terme de cette interminable année, Bernard Grasset accepte d'imprimer *Du côté de chez Swan,* mais à compte d'auteur et après de nombreuses coupes. Le livre enfin sous presse, Proust s'assure des critiques : Lucien Daudet pour *Le Figaro*, Jacques-Emile Blanche pour *L'Echo de Paris*, Cocteau pour l'*Excelsior* et, via ce dernier, Maurice Rostand pour *Comœdia.* Une distribution plus qu'amicale, qui assure un vrai retentissement au livre et se voit couronnée par le renfort inattendu de Paul Souday, le critique influent du *Temps.* Mais si ce dernier salue le roman, il souligne aussi ses faiblesses, ses incorrections et sa naïveté : *J'y ai perçu mon livre comme dans une glace conseillant le suicide*, avoue Proust à Cocteau. L'aîné vit enfin les hauts et les bas que le cadet connaît à chaque publication.

Du moins Proust voit-il Cocteau lui donner des preuves tangibles d'admiration. Après l'avoir entendu lire de vive voix son papier louant un roman *cousinant* avec les chefs-d'œuvre, en insistant sur *les miroirs multipliés de ce prodigieux labyrinthe à ciel ouvert*, il a le plaisir de voir l'*Excelsior*, neuf jours après la publication de *Swann*, publier en bonne place cet article vantant *une miniature géante, pleine de mirages, de jardins superposés, de jeux entre l'espace et le temps, de larges touches fraîches à la Manet.*

Incapable de retenir sa joie, il écrit à Cocteau : « ... Votre merveille, passée de l'état sonore dans lequel je la connus d'abord, à un silence graphique et ornemental, m'avait paru en cette matière nouvelle et dans la muette stupeur des caractères persistants au-delà des regards qui les lurent (Mallarmé aurait dit cela en un vers d'une impénétrable simplicité), m'avait paru plus délicieuse encore, et combien j'en étais fier et touché. »

En privé, Cocteau se montre plus enthousiaste encore. A l'abbé Mugnier, il dit son admiration pour *Du côté de chez Swann,* ce roman où actions et descriptions sont mises sur le même plan, comme dans les prodigieux tableaux de bataille d'Uccello : *le livre d'un insecte à la sensibilité tentaculaire*, une section de cerveau, assène-t-il du haut de sa jeune autorité. Mais a-t-il pris toute la mesure du projet proustien ? On peut se le demander en comparant sa réaction à celle de Reynaldo Hahn, qui demande déjà à son entourage de s'habituer à l'idée qu'*un très grand génie est à l'œuvre*, tout en reconnaissant que le livre n'est pas un chef-d'œuvre *si l'on appelle un chef-d'œuvre une chose parfaite et de plan irréprochable*, ou à l'attitude de Lucien Daudet, qui a dévoré en une nuit ce premier tome et en a rendu compte ainsi : *Tout chef-d'œuvre est un grand cri précurseur, et rassemblant par-delà le temps, dans le gel noir de l'éternité, les autres chefs-d'œuvre à venir*, s'attirant une reconnaissance indicible de la part de son ami[1].

Le meilleur de la *Recherche* reste à écrire, il est vrai – sa publication ne s'achèvera qu'en 1927. Mais Cocteau est sans doute trop occupé par son propre essor pour consacrer à ce volume toutes les louanges qu'il mérite. « Si vous avez vraiment lu *Swann* », lui écrira Proust six ans plus tard, avec sa façon de lancer les pires accusations sans paraître condamner le pécheur…

Peut-être aussi ce premier jet, encore hésitant, ne lève-t-il pas tous les doutes de Cocteau. Proust rumine depuis si longtemps sa somme que cette entame évoquant sa difficulté à se mettre au lit, ou son goût pour les noms de villes, a pu le décevoir. Bien que Grasset l'ait fait maigrir de deux cents pages, le livre reste extraordinairement long, au regard des critères de Cocteau : cette calèche que son Narrateur ne cesse de charger semble ne devoir jamais démarrer. « Au bout de sept cent douze pages de ce manuscrit (sept cent douze au moins, car beaucoup de pages ont des numéros ornés d'un bis, ter, quater, quinque)… on n'a aucune, aucune notion de ce dont il s'agit. Qu'est-ce que tout cela vient faire ? Qu'est-ce que tout cela signifie ? » avait écrit le lecteur des éditions Fasquelle…

---

1. En le comparant d'emblée à Platon, Shakespeare, Vinci, Pascal, Goethe, Shelley, Dostoïevski…, Maurice Rostand consterna à l'inverse Proust, qui conseilla néanmoins à ses proches la lecture de l'article.

Sans doute ce volume imprimé a-t-il aussi le tort de ne pas faire entendre l'étrange timbre proustien, même assourdi par le liège : à un texte sans voix, sans gestes, sans organes, Cocteau préférera toujours un livre de chair ou un corps parlant. Il a beau juger la diction de Proust indigne de leur passion commune pour les monstres sacrées du théâtre, son absence pénalise le livre, autant que le rituel maniaque et finalement comique entourant ses lectures, avec leurs repentirs fascinants et leurs mystères contagieux, à travers les fumigations et la poussière. C'est la façon même de parler de son ami que retranscrit la *Recherche*, mais la chambre d'échos du boulevard Haussmann lui manque, comme les fous rires intarissables qui rendaient si vivantes ces séances...

Ils ne sont pourtant pas nombreux à crier au génie, en 1913. La majorité des lecteurs confirment les rejets des grandes maisons d'édition : manque radical d'action, débauche d'impressions-gigognes, phrases-fleuves minées par l'afflux d'incidentes périlleuses. Les critiques les plus aigus regardent avec une réticence intacte les nièmes débuts de ce pur produit de la rive droite, à l'image de *La NRF* de Schlumberger, Gide et Ghéon qui, tout aussi marquée par Sodome, reste allergique à l'homosexualité mondaine de Proust, *le plus enragé des snobs* aux dires de Gide. Après avoir boudé le triomphe si parisien des Ballets russes, la revue, plus occupée à parfaire sa ligne qu'à nuancer ses choix, persiste à situer ce *livre plein de duchesses* aux antipodes de son idéal d'austérité littéraire. *A force de mettre sa lorgnette au point, la* Nouvelle Revue Française *ne regarde jamais le spectacle*, en conclut Cocteau.

Son insistance à vanter *Du côté de chez Swann* va pourtant ébranler l'équipe fondatrice. Elle a beau ne voir en lui qu'un sous-Noailles, elle devine à son zèle qu'elle a peut-être jugé trop vite ce premier tome. Début 1914, Ghéon laisse entendre que *l'œuvre de loisir* de Proust, tout en s'acharnant à faire *le contraire de l'œuvre d'art, c'est-à-dire l'inventaire de ses sensations*, finit par drainer, tel un filet jeté dans l'océan du temps, toute la faune et la flore de sa mémoire. Soupçonné par Cocteau d'avoir craint d'être détrôné par l'auteur de *Swann* chez Gallimard, Gide lui-même commence à regretter le rejet de son livre, qu'il impute principalement à la lecture négative de Schlumberger.

Cocteau fut-il la clef unique de ce revirement qui mènera Gide jusqu'aux plus plates excuses ? Proust lui en sera très reconnaissant, quoi qu'il en soit. Son nom ne rimait plus avec *raout* dans l'entourage de *La NRF*, même si celui de son cadet continuait d'être associé au (faux) pluriel de cocktails. La revue finira même par lui proposer, *à l'unanimité et d'enthousiasme*, d'éditer les tomes à venir, ce qu'il se fera une fierté de refuser. Sans doute aurait-il préféré lancer littérairement Cocteau. Du fait de sa maturation lente, ce fut ce dernier qui contribua précocement à le révéler.

L'écrivain dont on parle, désormais, c'est Proust. Sa longue marche pour se défaire de la poisse qui colle à sa peau d'amateur commence à porter ses fruits. Un début de prestige l'entoure, une lettre d'Henry James va bientôt le prouver. La mue du *petit Marcel* s'annonce irrésistible.

La NRF s'imposant désormais comme *la seule revue*, aux dires de Proust lui-même, Cocteau joue de leur familiarité pour lui proposer ses poèmes. A la fin de 1913, Gide envisage déjà d'en publier deux puis, sur l'insistance de leur auteur, sept. Marqué par le double rigorisme protestant et littéraire, le comité directeur, Ghéon excepté, oppose pourtant un non catégorique à l'arrivée de ce héraut de la *vieille* poésie salonnarde : Cocteau risquerait d'entraîner dans son sillage des figures aussi *maniérées et poudrées* que Maurice Rostand, une perspective cauchemardesque pour Gide et pour Ghéon lui-même, partisans d'amours archiviriles. « Il n'existe peut-être pas à l'heure actuelle dans Paris de personnalité plus représentative de tout ce que nous détestons, de ce qui nous est le plus foncièrement ennemi, écrit Copeau à Gide, au début de 1914. Cocteau ne sera jamais des nôtres. L'admettre serait provoquer (...) le chagrin, voire la honte, de Gaston Gallimard. »

Le coup est rude pour Cocteau : alors qu'elle reconnaît enfin Proust, *La NRF* le renvoie, seul, aux salons dont ils sont tous deux issus, sans que son aîné semble vouloir mettre toutes ses forces dans la balance. Proust, qui s'accorde des *dons de sourcier* pour influer en faveur de ses proches, autant qu'il déplore de ne pouvoir le faire pour lui, préfère prudemment s'abriter derrière les oukases de ses nouveaux maîtres.

Impatient de devenir le grand Proust, *le petit Marcel* achèverait-il de conjurer le sort en desserrant les liens qui le rattachent à sa préhistoire mondaine ? Ou craint-il, alors que les portes du Panthéon s'ouvrent à lui, de subir la punition d'Orphée en se retournant vers Eurydice-Cocteau ?

Le souvenir des louanges faciles que ce dernier recueille depuis cinq ans s'efface. *Monsieur Cocteau est doué, mais à son don il faut maintenant qu'il se voue*, avait prévenu Ghéon : les charges proustiennes contre l'idolâtrie et l'imitation deviennent enfin audibles. Cueilli à froid, Cocteau comprend qu'il doit cesser de mêler sa voix à d'autres et plonger seul en lui.

Echo de ces inquiétudes nouvelles, il lui arrive de chercher en rêve son père, qui est mort et qui en même temps ne l'est pas, parmi les cacatoès du Jardin d'Acclimatation. Cet oiseau condamné à répéter, ce géniteur aux talents suivistes de peintre disent à demi-mot ses craintes. Ne s'est-il pas trahi en affirmant que chacun porte *un perroquet sur l'épaule gauche et un singe sur l'épaule droite* – l'un chargé de redire ce que l'usage a déjà consacré, l'autre d'en rire par l'imitation ? Il décide d'en finir avec *ces sales bêtes*.

Impatient de tuer le *jeune pour vieux* qu'il est devenu, il jette au feu les moules où il coulait ses alexandrins, les poèmes d'Anna de Noailles mais aussi les toiles de Blanche, cet aîné de vingt-huit ans qui s'étonnait de le voir sentir comme lui en tout. Après ces années de dispersion géniale et de mimétisme exalté, un besoin de recueillement et de solitude le saisit. *Ces hécatombes de bibelots, ces autodafés de paperasses fouettent la mollesse, douchent l'âme*, écrit-il. Pressé d'entrer dans le siècle de l'énergie vitale annoncé par Nietzsche et Stravinsky, il rompt avec les surcharges mythologiques qui pesaient sur ses poèmes « symbolistes » et commence à fréquenter les ateliers des peintres cubistes. Il n'aura même pas à brûler la *Recherche*, elle ne lui a heureusement pas servi de modèle : avec ses aptitudes mimétiques, il ne s'en serait jamais remis.

Non seulement il renie *La Lampe d'Aladin*, *Le Prince frivole* et *La Danse de Sophocle*, ses premiers recueils, mais il demande qu'on brûle les exemplaires restants[1]. Tel le Phœnix renaissant des flammes, il entraîne dans son *autodafé* cette poésie *poétique* dont il est devenu le plus jeune flambeau, mais qu'il sent condamnée.

Exit la période proustienne : il écrira désormais une prose *de son âge* sur une simple table d'architecte, en revendiquant *une esthétique du minimum*. Il continuera pourtant de s'exercer dans toutes sortes de disciplines, n'éprouvant pas comme son aîné le besoin de se rassembler, plutôt de s'étoiler.

Il sera moderne, quoi qu'il en coûtera.

1. Il interdira toujours leur réédition.

La mue

Suspendue par la déclaration de guerre, la mue de Cocteau devient publique en 1917 avec *Parade*, un ballet élaboré avec Satie et Picasso. L'apparente absurdité du livret et de la musique choque le public du Châtelet, alors que Français et Allemands s'entretuent, à deux cents kilomètres de la capitale, mais ils suscitent aussi l'enthousiasme de la part la plus avancée de la critique et l'approbation à distance de Proust, lequel voit dans ce succès de scandale une anticipation prometteuse pour Cocteau, comme *une « aura » propice, émanée du Futur.*

Le Cap de Bonne-Espérance confirme ce nouveau cours : décantée puis filtrée, l'expérience guerrière de Cocteau, après seize mois passés sur le front, nourrit sa nouvelle veine poétique. La brutalisation opérée par le conflit n'empêche pas les images anciennes de revenir sous sa plume, pourtant. La ruée dans les tranchées des tanks lui évoque la chute d'un coffre-fort se redressant in extremis *sur ses pattes arrière*, et les half-tracks, en enfonçant les locomotives ennemies, lui semblent prêts à engendrer des fœtus de métal. Les futuristes célèbrent la force brute des moteurs et les cubistes, la beauté abstraite des formes géométriques ? Cocteau fait de Roland Garros, l'as de l'aviation qui plane sur tout le recueil, une figure d'ange métallisé intercédant entre le ciel et les hommes. Cloué au sol, son avion est comparé à un *oiseau céleste* souffrant des ailes tel un amputé : c'est toujours un apprenti dieu qui cherche à franchir ce *Cap* céleste. Cocteau, qui aime aussi voir sans être vu, avec l'avidité impunie des anges, trame encore un réseau d'images symbolistes, sous l'étendard futuriste.

Cette ambiguïté formelle se redouble d'une sorte d'équilibrisme social, qui le pousse à quitter un déjeuner chez la princesse Murat pour se ruer à un *pot* chez Modigliani. C'est qu'il mène une campagne fébrile pour lancer ce recueil annonçant à ses yeux sa *véritable* entrée en poésie. Mais une lecture en présence d'Anna de Noailles lui fait mesurer les réticences que suscitent ses vers en loques, truffés de réclames pour le bouillon KUB, l'apéritif BYRRH et LE PETIT JOURNAL. Plus personne ne reconnaît l'auteur du *Prince frivole* dans ces fusées publicitaires revendiquées.

Loin de faiblir, Cocteau se met en tête de convertir à son nouveau cours ses vieux soutiens. « Tout Paris travaille sur *Le Cap* », annonce-t-il fièrement à Louis Gautier-Vignal, l'ami de Proust : la Chevigné elle-même se fait faire des explications de texte. Insensible à ces cours de rattrapage, Anna de Noailles l'accuse d'ingratitude et de plagiat – ce n'est plus elle qu'il copie. *Il faut coïncider ou se suicider*, se contente de lui répondre

Cocteau, bien conscient qu'il n'est plus possible de continuer à écrire *comme avant.* Proust lui-même souligne la dimension vitale de sa mue, en le comparant à ces gens *qui faisaient des automobiles avant la guerre et depuis font des aéroplanes ou des obus* : il est même l'un des rares survivants de l'avant-guerre à lui prédire que le conflit allait, en l'épurant, le rapprocher du Livre qu'il porte.

Mais Proust estime aussi, dans le secret de sa correspondance, que son cadet a tort de miser aussi aveuglement sur le modernisme. Il peine à croire en la profondeur de son évolution, pour connaître sa propension à prendre de nouvelles formes. Il redoute que la mue annoncée ne se résume à une simple volte-face, un an après lui avoir reproché le bellicisme du *Mot*, la revue qu'il alimente en poèmes et dessins. Du haut de la métamorphose radicale qui change Proust en livre vivant, l'évolution poétique de Cocteau pourrait bien se résumer à n'être qu'une simple toilette formelle.

Résolu à ne plus lire son poème qu'à des auditoires compréhensifs, Cocteau inaugure une nouvelle série de lectures chez Paul Morand. Mais Proust, ulcéré par les efforts de la Chevigné pour comprendre *Le Cap*, alors qu'elle se montre si peu réceptive à sa propre démarche littéraire, se décommande *in extremis*, à la fureur de Cocteau, qui l'a tanné pour qu'il vienne. *Je n'ai pas comme vous le sourire du Destin, peut-être parce que je ne sais pas le mériter*, insinue Proust pour se justifier, avec une modestie qui sonne soudain faux.

Comme s'il continuait de jouer les perdants…

Blessé par son lâchage, Cocteau fait des lectures de plus en plus exaltées de son *Cap*. A l'été 1917, il se retrouve face à une assemblée réunissant Valery Larbaud et Gaston Gallimard, lequel a enfin réussi à reprendre la *Recherche* à son premier éditeur, Bernard Grasset. Mais après une heure d'attente, et alors que Cocteau l'a prévenu que cette séance était *sacrée* pour lui, Proust n'est toujours pas là. Mal à l'aise parmi cet aréopage très *NRF*, Cocteau perd ses nerfs… Lui qui a consacré tant de soirées à écouter son « vieil » ami lui lire des fragments embrouillés de la *Recherche* !

Enfin il se résout à commencer.

Plus que tout autre, (il) avait la sensation d'être entouré de son âme, comme disait Proust, et il était quasi emporté dans un perpétuel élan pour la dépasser, affirme un témoin de cette soirée électrique.

Vers minuit soudain, Proust se présente avec une gaieté et une désinvolture qui confinent à l'insulte. *Va-t'en Marcel, tu gâtes ma lecture !* hurle Cocteau, comme s'il avait la confirmation que son aîné ne tenait pas à ce qu'il le suive chez Gallimard…

Ce sera le début d'un cycle interminable de lettres d'excuse et de protestations, de reproches et de justifications. *Je ne suis plus capable de rien,* finit par lui écrire Proust. *Mes manuscrits pour avoir trop attendu ont jauni, se sont déchirés, font une dentelle irreprisable, et mon cerveau plus usé qu'elle n'est plus en état de fournir une trame nouvelle.* Mais ces prétéritions ne parviennent pas à attendrir Cocteau, que Proust accuse *d'être sous des apparences de jeune poète un vieux beau du genre Montesquiou*, avant de confier à une amie : ... *Si j'avais le talent de Jean, ce que j'aimerais beaucoup, il me semble que je n'attacherais aucune importance à mon œuvre, et encore moins à sa lecture.* Difficile pour Cocteau de ne pas voir dans le nom de Montesquiou une allusion assassine à son passé « encombrant » et à ses dons mimétiques. Proust n'avait-il pas déjà suggéré, à la lecture du *Mot*, qu'il devrait servir des droits d'auteur à ses amis, à force de reprendre leurs formules sans jamais les citer ?

L'aîné aura beau ajouter qu'il *aime et admire Jean* et lui envie ses *formules saisissantes*, il semble avoir flairé, derrière la profusion aéronautique du *Cap*, un vide assimilable au néant que le monde parisien cache derrière sa profusion.

Dans une lettre à Jacques Rivière, le jeune critique de *La NRF*, Proust est plus clair encore. Il reproche à Cocteau de croire qu'on n'est *jamais assez à gauche en art*, comme la marquise de Cambremer le pensera aussi, tout en continuant de l'associer à Anna de Noailles, donc de le présenter insidieusement en otage de l'étape précédente. Comme si son cadet devait incarner à jamais le passé, à tout juste vingt-sept ans, pour que lui-même puisse être reconnu comme le contemporain capital.

Parachevant sa « vengeance », Proust se rapproche de Paul Morand, ce jeune attaché d'ambassade qui a eu le bon goût de mettre d'emblée *Swann* plus haut que Flaubert. Or Morand a exactement l'âge de Cocteau auquel il est lié, tout en paraissant plus « frais », pour avoir commencé à écrire plus tard. Et même l'entourage de la Noailles le juge plus *original*...

Paris en est témoin : Cocteau-le-lièvre a perdu de son allégresse, depuis qu'il a contribué à lancer la tortue Proust.

Lui qui avait fini par traiter ce dernier avec l'assurance d'un « aîné » et la Noailles avec la désinvolture du surdoué !

La trahison de Proust, le rejet de ses plus vieux soutiens et les réticences des « vrais » modernes lui pèsent.

Déjà fragilisé par sa mue, il est repris par le doute quand Gallimard lui fait part de son refus de publier son *Cap*.

Lui manquerait-il ces œillères si utiles pour contenir un créateur dans un territoire d'élection ? Serait-il condamné à toujours être, pour les autres, ce prince frivole à qui Proust reproche encore sa dispersion, son caméléonisme et ses prétentions ?

Cocteau (lui) portait sur les nerfs, confirmera *mezzo voce* Morand...

Mais pourquoi ce même Morand, qui jouit ouvertement de la vie, se trouve-t-il paré de toutes les vertus littéraires par Proust ? Parce qu'il est réellement plus « original » que lui... ou qu'il vit avec la princesse Soutzo, chez qui Proust sait pouvoir croiser toute la société parisienne en une seule soirée, et pour qui il montre une passion digne de celle que suscita la Chevigné en son temps ?

Cocteau peine à faire son bilan.

Il était une fois un caméléon. Son maître, pour lui

tenir chaud, le déposa sur un plaid écossais bariolé. Le caméléon mourut de fatigue, note-t-il dans *Le Potomak*, qu'il publie au sortir de la guerre : tous les périls que sa mue lui fait courir sont là.

La mort de Roland Garros en mission tombe à point pour lui rappeler le risque fatal que court tout inventeur : ce *Cap de Bonne-Espérance* si mal nommé vient de faire sa seconde victime.

De façon inattendue, le réconfort vient cette fois de Proust, qui lui adresse une longue lettre touchante. *Ma consolation est de penser que vous aurez cette douceur, vous qui l'avez tant aimé, de l'avoir dans vos vers fixé pour toujours dans un ciel où il n'y a plus de chutes et où les noms humains demeurent comme ceux des étoiles.* Ayant toujours évité d'approcher l'aviateur, de peur de déplaire à Cocteau – un trait qui ne trahit que sa propre jalousie –, Proust finit par demander à ce dernier si Garros n'aurait pas eu vent de détails sur la mort d'Agostinelli, le chauffeur dont il a été assez amoureux pour lui offrir des leçons de vol, avant de lui promettre un avion qui s'est écrasé aussi, peu avant le conflit, dans des circonstances que la culpabilité de Proust cherche encore à élucider, comme s'il avait souhaité inconsciemment la mort de l'homme qui l'avait abandonné.

Renvoyé dans le camp des perdants de l'existence, Cocteau est redevenu fréquentable. Il souffre enfin, et la souffrance est le meilleur des éclaireurs, aux yeux de Proust. L'intelligence ? Elle lui paraît un instrument aussi limité que ces balances capables de marquer des différences infimes de poids, mais non de distinguer dix grammes de rose ou de caillou, de rubis ou d'eau de mer, *de substance nerveuse ou de caca.* Clef de voûte du système proustien, ce distinguo est son legs le plus précieux : *la connaissance des éléments composants de notre âme nous est donnée non par les plus fines perceptions de notre intelligence mais – dure, éclatante, étrange, comme un sel soudain cristallisé – par la brusque réaction de la douleur.* Mieux que leur commune admiration pour le *Saint Sébastien* du Louvre, dont le calvaire tend à l'extase, ce deuil partagé est la première occasion depuis longtemps, pour les deux écrivains, de mesurer leur gémellité. Mais il faudra encore des années avant que le masochisme devienne aussi l'un des ressorts de la création coctienne.

La guerre achève de bouleverser leur environnement. Ruiné en bonne part par l'effondrement de la Bourse, le monde magnifié par Proust, dont le portefeuille a lui-même fondu, cesse de monopoliser l'intérêt. La République des ducs, des bourgeois à rallonge et des rentiers barbus cède le pas à celle des nouveaux riches nés du conflit, qui ont su changer des kilomètres de toiles d'avion en chemises et en sacs. *Ça ne boit plus que de la bière* ! déplore le premier maître d'hôtel du Ritz, un des espions attitrés de Proust, en désignant avec mépris le grand-duc Boris, que la Révolution russe vient de ruiner.

Prises en tenaille entre le souvenir indépassable du libertinage aristocratique et l'espoir radical dont les peuples se voient les porteurs, les élites de la rive droite n'ont plus le cœur ni les moyens de recevoir. Les salons achèvent de perdre de leur prestige en congédiant leurs laquais, avant que Proust ne les relègue à jamais dans les poubelles de l'Histoire, en les peuplant de grotesques *verdâtres* sentant le moisi. Quelques mois suffisent à décaper l'aura de la classe qui avait dominé le siècle, à l'image des Lecomte-Cocteau et des Weil-Proust.

1914, c'était encore 1900, et 1900, c'était encore le second Empire, dit Morand ; le XXe siècle vient brutalement au jour, après une interminable grossesse sous les lianes du style Art nouveau. Les héritiers à la démarche d'empereur livrent aux mites leurs pelisses tandis que les femmes abandonnent corsets et baleines, après être devenues tourneuses d'obus durant le conflit. *Je vivais hier*, confirmera Morand, qui aura viré sa cuti quatre ans après Cocteau ; *j'habitais au milieu d'hommes d'autrefois ; j'en étais même arrivé à ne plus regarder le monde qu'à travers les Ancêtres* : Paris a cessé d'appartenir aux vieux.

Cocteau avait encore vu Proust s'approcher du concierge du Ritz pour lui demander *mezzo voce* : « Pourriez-vous me prêter cinquante francs ? » avant d'ajouter : « Gardez-les, c'était pour vous[1]. » Cette politesse abyssale s'effondre à son tour : on sera franc et brutal comme Radiguet, cosmopolite et cynique comme Morand, ricanant et nihiliste comme Dada. Reléguant aux oubliettes les intérieurs surchargés de bibelots, les

1. *Le lendemain, le concierge dut recevoir le triple*, ajoutait-il.

architectes font entrer dans les foyers le soleil et l'électricité, la chaleur et le plaisir ; sevré de sa cloche protectrice, le monde proustien s'effrite au contact du souffle nouveau. Le maelström affecte jusqu'à la structure de la *Recherche* qui, empêchée de paraître durant tout le conflit, intègre puissamment la dimension du Temps, en faisant vieillir en profondeur ses personnages, jusqu'à les rendre eux aussi méconnaissables...

La plupart des gloires littéraires de l'avant-guerre ressortent fanées du conflit ; Loti, Bourget, Barrès puis Anatole France, qui avait tant influencé Proust, laissent place à des débutants décidés à faire de leur jeunesse un argument définitif. *Tout était vide, béant, offert*, note dans *Venises* Morand, qui s'engouffre dans la brèche : *Nous avons tué les morts une seconde fois*, confirme Drieu la Rochelle. Les os des vieux plumitifs nourrissent ces jeunes pousses avides de fleurir.

Proust sera pour finir l'unique rescapé de cette révolution qui relègue le Paris d'avant-guerre au musée Grévin. Protégé par le rempart de *La NRF*, il ne sera jamais une cible prioritaire pour les jeunes-turcs issus du mouvement dada, qui formeront le gros des rangs surréalistes. Au contraire d'un Cocteau, dont ils vont jalouser l'influence sur le jeune Radiguet et la génération de l'Armistice, ils ne se soucieront pas de le marquer à la culotte, tout au long des années 20. Ayant déjà été jeune en 1910, Cocteau comprend qu'il lui faudra l'être encore, et s'habituer à le rester à jamais. Mais l'héritier assumé qu'est Proust n'aura même pas à faire l'effort de devenir moderne : il en aurait été incapable. En pleine furie dadaïste, on ne lui demandera que d'achever d'embaumer les princes et les cocottes de cette Belle Epoque deux fois déchue, en les ridiculisant pour toujours : c'est en brûlant ce qu'il avait adoré qu'il s'assurera une postérité royale.

Mortel

La parution en 1919 d'*A l'ombre des jeunes filles en fleurs* chez Gallimard, et le prix Goncourt qui lui est attribué, après l'ardente campagne menée par Léon Daudet, le frère aîné de Lucien, renforcent considérablement la stature de Proust. Il y a encore un chroniqueur pour parier qu'il restera à jamais inconnu et le jeune Aragon pour invectiver ce *snob laborieux* dans *Littérature*, la revue de tout jeunes surréalistes, mais les ralliements se multiplient, alors que sort une édition augmentée de *Swann*, après *Pastiches et Mélanges*.

Découvrant *Le Coq et l'Arlequin*, le pamphlet que Cocteau venait de publier en faveur de la musique française et du Groupe des Six, Proust avait pu se sentir visé par cet aphorisme : *Il y a des œuvres longues qui sont courtes*, mais son cadet le rassure, un an plus tard : « La vôtre est une étendue de profondeur – des petits orifices les uns à côté des autres et qui vus d'ensemble ont la noblesse d'une ruche. Le miracle, c'est le goût différent du miel dans chaque cellule. Ces goûts se combinent à distance. La moindre cellule pourrait se suffire. » On ne pouvait mieux évoquer l'étrange combinatoire régissant la vision kaléidoscopique de Proust, qui juxtapose plus qu'elle ne synthétise, engendre des espaces parallèles, sans répit.

Deux ans plus tard, Cocteau s'enthousiasme encore au sujet du premier tome du *Côté de Guermantes*, mais ses arguments tendent à se répéter : *Je recommence dix fois chaque phrase – je les « tourne » au ralenti à l'envers et à l'endroit. Je ne connais pas de livre plus court – Beau à vol d'oiseau quand le fleuve ne coule pas et en détail quand on se baigne dans le fleuve.* Mais Cocteau n'ayant pas tenu à écrire publiquement sur son livre, Proust conçoit de nouveaux doutes sur la profondeur de sa lecture, et la chaleur de son adhésion.

De fait, tout en trouvant *magnifiques* les pages sur la grand-mère du Narrateur, dans la seconde série de *Sodome et Gomorrhe* publiée en 1923, Cocteau commence à reprocher à l'ouvrage d'être handicapé par le snobisme et les origines masculines du personnage d'Albertine. Des réserves qu'il garde secrètes, mais qui contribuent à relativiser son enthousiasme : *A côté de vos livres, tout semble ennuyeux. Les trois derniers distraient profondément*, écrit-il à son aîné, sans paraître mesurer la légèreté de ses compliments. Quoique le moins « homme de lettres » de tous les grands écrivains, le moins vaniteux aussi, Proust dut tiquer en s'entendant taxer de « distrayant »...

Mais si le soutien de Cocteau faiblit, c'est aussi que le lauréat du Goncourt se montre infiniment moins accueillant avec lui qu'avec les nouveaux zélotes que sa gloire tout fraîche lui attire – les *Elus de la dernière heures*, dira Lucien Daudet, avec un dépit que Cocteau tente encore de masquer. Après une vie passée à implorer les autres, Proust se laisse avec plaisir solliciter par ces supporters tardifs, bien plus déférents que les précédents. Les premiers devenaient les derniers et les derniers, premiers.

Impatient de voir la *Recherche* faire oublier à jamais *le petit Marcel*, Proust va s'afficher bien plus avec les Gide et les Ghéon, dont les compliments ont la fraîcheur irrésistible de l'inédit, qu'avec Cocteau. L'amateur qui jamais n'évoquait son travail laisse place au professionnel consacrant l'essentiel de son énergie à corriger ses épreuves, à affiner sa stratégie et à répondre aux lettres qui affluent. Le génie nouveau montre enfin l'envers de sa modestie déroutante, au grand dam de Lucien Daudet, le premier à déplorer la glace qui s'instaure entre eux. Après s'être défait de son ardeur originelle à vivre, Proust s'en prend aux mille liens qui le rattachent à ses plus vieux amis.

Il arrive encore à Cocteau de passer outre à ses fins de non-recevoir, en ayant soin de n'apporter avec lui ni pollen ni parfum, pour prévenir une crise que la seule écoute du *Pelléas et Mélisande* de Debussy peut désormais déclencher, *une certaine phrase sur le vent du printemps qui a passé sur la mer* en particulier. Mais s'il réussit encore à arracher des sourires à son aîné, il est frappé par son air absent. C'est qu'autrui tend à devenir irréel, aux yeux de Proust. Lui qui compare l'amitié à *l'erreur d'un fou qui croirait que les meubles vivent et causerait avec eux* n'a plus rien à donner qu'à son œuvre : un bahut à fouiller, voilà ce qu'est devenu Cocteau. Ayant enfin découvert la force de l'oubli, *ce puissant instrument d'adaptation à la réalité*, seul capable de détruire en nous ce passé obsédant qui la contredit, avec l'aide du Véronal, le somnifère dont il abuse, Proust ne s'intéresse plus qu'à ses personnages, ces cariatides qui soutiennent son œuvre. A ses proches, il ne demande plus que de l'alimenter en souvenirs sur les contemporains qu'il a décidé de plonger dans le Temps, cet acide destiné à les dissoudre pour mieux les ressusciter, dans l'espace feuilleté de son roman ; toute intervention affective ne lui est plus qu'une source intolérable d'agression ou d'ennui.

« Trouves-tu que je sois le même depuis cinq ans ? lui avait demandé Antoine Bibesco en le revoyant, à la fin de la guerre.

— Tu es moins.

— Moins quoi ?

— Moins, c'est tout. » Mille fois blessé dans ses attentes affectives, Proust est devenu le tueur le plus raffiné de la capitale.

Il lui reste si peu de temps à vivre, pressent-il, qu'après avoir totalement cessé de sortir dans le monde, il ne trouve plus d'énergie que pour recevoir des hommes comme Jacques Rivière, le jeune directeur de *La NRF*, dont l'intelligence exceptionnelle l'impressionne. Or, Rivière ne croit pas dans le talent de Cocteau, qui le sait, pour être aussi bien informé que son aîné. En expédiant à Proust son *Vocabulaire*, Cocteau lui demande donc de lire ce recueil de poèmes déjà néo-classiques, non pas avec les yeux de *La NRF*, comme il l'avait fait pour *Le Cap de Bonne-Espérance*, mais avec son cœur, *qui devine les surprises les plus secrètes.*

Comprenant qu'il aimerait faire évoluer le jugement de Rivière, Proust s'active en faveur de son cadet. Rivière lui fait miroiter un article dans la revue associée à la maison Gallimard, mais *La NRF* ne publie en 1922 qu'un commentaire ironique et cinglant, qui ne fait que jeter du sel sur les plaies ouvertes par *Le Cap*.

Tout en invoquant dans une lettre *le diable qui nous éloigne l'un de l'autre*, Cocteau soupçonne encore son vieil ami de n'avoir pas voulu vraiment l'aider. Sinon d'avoir craint, en appuyant un « marque-mal » sexuel, d'éveiller les soupçons d'un critique qui lui attribue les mœurs les plus « saines » et le félicitera encore, à la lecture de *Sodome et Gomorrhe I*, pour le passage courageux qui accable la *race des Sodomites.* Le naïf Rivière ira jusqu'à se dire *vengé* de la complaisance que Gide met à valoriser sa sexualité…

Convaincu que son vieil ami lui a joué sciemment *un mauvais tour*, Cocteau en vient à lui reprocher de n'avoir jamais montré le moindre enthousiasme pour son œuvre. « J'étais trop jeune et trop mal embarqué pour que la tendresse de Marcel s'appuyât sur une opinion littéraire, écrira-t-il en évoquant sa jeunesse. Il estimait en moi le respect admiratif dont j'entourais sa personne à une époque où *Swann* ne trouvait pas de lecteurs. » Comme si Cocteau, à son tour, en venait à retirer toute substance littéraire à leur relation.

Proust a bien fait la navette entre la maison Gallimard et Cocteau, pourtant. Rivière lui ayant promis un article sur *Vocabulaire* dans sa revue, il s'est empressé de l'annoncer à Cocteau, dans son désir de lui faire plaisir. Mais *La NRF* persiste à vouloir Proust *sans* son groupe d'invertis, tout comme elle aurait préféré une *Recherche* sans duchesses, et l'article promis s'est avéré fatal.

La lettre injurieuse pour Rivière et *La NRF* que Cocteau retourne alors à Proust va décourager ce dernier d'intervenir encore en sa faveur. Proust donnera publiquement raison au critique, qui l'en remerciera en lui affirmant que, s'il avait pu se refuser à l'amabilité de Cocteau, c'est qu'il la savait *conditionnée par l'espoir ou par l'attente de quelque compliment public.* Capable d'offrir pelisses et rubis dans le même but, comme d'inviter Souday ou Rivière au Ritz, Proust ira jusqu'à dire son mécontentement à Gaston Gallimard en voyant Cocteau se rapprocher de Gide, dans l'espoir de circonvenir Rivière... *Comme c'est désagréable, lorsque Proust parle de l'amitié, à laquelle il n'accorde aucune valeur, alors que nous lui prouvâmes constamment la nôtre*, notera Cocteau en évoquant cette époque où, encensé par *La NRF*, son ami parut le laisser tomber.

Proust ne veut pas plus que lui manquer le tournant de l'après-guerre, en vérité. Soucieux de paraître un tant soit peu moderne aux yeux d'une génération qui le reconnaît enfin comme un génie, il s'applique à se défaire de la traîne de barons et de snobs qui entache son œuvre. Celui que plus personne n'ose appeler *le petit Marcel* va même mettre un point d'honneur à assister à quelques-uns des événements emblématiques des années 20. Paradoxalement, il le fera en bonne partie à travers Cocteau, lequel va incarner leur esprit à merveille, à la grande surprise de ses soutiens d'avant-guerre. C'est sur l'invitation de son cadet, ainsi, qu'il ira voir *Le Bœuf sur le toit,* rencontrera Picasso, dans le bar du même nom, assistera enfin à une reprise de *Parade*, autre ballet conçu par Cocteau. Bissé par le public qui le sifflait trois ans plus tôt, la représentation touchera même jusqu'au *spleen* Proust, qui regrettera amèrement d'en être réduit au théâtrophone, un appareil qui lui permet de suivre les spectacles depuis son domicile.

Pourtant, quand il s'agit de préfacer un livre, c'est le *Tendres stocks* de Morand que Proust choisit d'honorer, non le *Vocabulaire* de Cocteau... *Tendres stocks* est publié par Gallimard, il est vrai. Et ladite préface ne va faire qu'à moitié plaisir à Morand, dont le travail n'est évoqué qu'*in extremis*, au sujet de ses images approximatives.

Certes, il arrive encore à Cocteau, rentrant chez lui, de trouver Proust sur son palier. Ne voulant pas le chercher chez la Chevigné sa voisine, depuis longtemps un *casus belli* entre eux, après avoir en vain frappé à sa porte, son vieil ami a préféré l'attendre sur la banquette. Mais Cocteau se voit là encore reprocher le silence qu'elle maintient, au sujet de la *Recherche*, malgré tous ses efforts pour les rapprocher... Comme s'il avait les moyens d'imposer au *caporal Pétraque* une relation qu'elle tend de plus en plus à fuir !

Dieu sait si Proust a tout tenté pour intéresser la

Chevigné à ses efforts littéraires. Les années passant, sa curiosité tend néanmoins, là encore, à se resserrer sur les seuls points susceptibles de nourrir son livre. Toute la passion que la comtesse continue de lui inspirer se concentre, par une sorte de cristallisation à rebours, sur le chapeau de paille piqueté de bleuets qu'elle arborait durant l'année 1903. Or ce zèle amoureux ne flatte plus du tout la Chevigné, qui a décrété voici déjà plus d'une décennie, la quarantaine venant, qu'elle n'avait plus à suivre la mode. Elle a même cessé de remplacer ses bibis pour ne plus porter qu'une toque en taupé, ornée de violettes de Parme, laquelle, pour son malheur, fascine aussi Proust...

Ce dernier allant jusqu'à garder un souvenir ébloui des bibis que la Chevigné portait *au siècle précédent*, celle-ci avait interrompu ses demandes maniaques en lui jetant de sa voix de gendarme : *Il n'y a que la mère Daudet qui garde ses vieux chapeaux !* Proust en avait été réduit à harceler son maître d'hôtel puis à s'attaquer aux membres de son personnel, avec le même zèle documentaire. « Comment voulez-vous que je me souvienne d'un chapeau que je portais en passant devant la librairie Emile Paul à l'époque des croisades ? avait confié la comtesse à Cocteau. Ce pauvre Marcel est vraiment par trop snob et il se documente auprès des domestiques. Si vous croyez que c'est agréable de savoir que nos larbins et nos femmes de chambre vont lui raconter des histoires à dormir debout ! C'est pour ça, mon petit, que ses livres ne valent rien, qu'on ne peut les lire, qu'on se prend les pieds dans ses phrases. »

Proust insistant pour obtenir une réponse, la

Chevigné ne l'avait plus vu que comme un *social climber* ne connaissant *rien* aux règles du monde qu'il prétendait décrire, une sorte d'antiquaire de l'absurde cherchant à bourrer son grenier de bibelots poussiéreux. Elle n'avait jamais soupçonné que son silence hautain alimentait l'avidité haineuse d'un homme qui ne désirait que ce qui l'excluait, et préférait regarder le bal à travers les vitres...

Qu'aurait dit Proust lui-même s'il avait su que la Chevigné avait cessé d'ouvrir ses lettres, qu'elle tendait directement à sa camériste afin qu'elle teste à leur contact la chaleur des fers devant friser le peu de cheveux que ses chapeaux lui avaient précisément laissés ? *Il nous emmerde avec ses gribouillages*, finit-elle par lâcher devant Cocteau. Le Narrateur de la *Recherche* se vengera des bibis que la Chevigné refusait de lui décrire en affublant Oriane de Guermantes de joues *composites comme un nougat* et d'une lignée se hissant à travers les âges, telle *une tour jaunissante* – une véritable exécution, pour une femme vivant dans la terreur de vieillir.

Proust mourra avant que ne soient publiés les portraits que Cocteau fera de la Chevigné. Mais il avait des raisons d'imaginer qu'aucun ne pourrait jamais rivaliser avec la profondeur inquiétante que la *Recherche* confère à Oriane de Guermantes, l'un des sangs les plus « purs » de France, la première de ces douairières à bec d'aigle qu'il aura la patience, et pour finir la bonté, de changer en prototypes. C'est qu'il fallait aimer en profondeur la Chevigné pour la faire enfler jusqu'à l'absurde, malgré son souffle asthmatique, trois décennies durant, avant de lui injecter son venin génial destiné à patiemment la dégonfler, puis à la laisser pour morte, aux termes d'un récit de trois mille pages emportant à jamais la formule du roman social : Cocteau était trop fébrile pour piquer si profond.

Au beau milieu du conflit mondial, Proust l'avait déjà accusé d'avoir rapporté à la comtesse qu'il répondait à toutes les questions que la guerre soulevait : *La guerre ? Je n'ai pas encore eu le temps d'y penser. J'étudie en ce moment l'affaire Caillaux.* Cocteau souhaitait rendre par ce mot la densité de la vie sous cloche qu'il menait, dans son effort de résurrection du passé. Mais, ce faisant, le cadet avait encore dégradé l'image de l'aîné auprès d'une femme qui le jugeait déjà bien trop porté vers les temps révolus, et pas assez sensible aux tirades *anti-boches.*

Furieux contre cette *invention absurde*, dont il avait appris l'origine en « cuisinant » Lucien Daudet, Proust avait très mal supporté d'apprendre encore que Cocteau avait pu laisser entendre, toujours devant la Chevigné, que les sautes maladives d'humeur, les « vices » aberrants du baron de Charlus et ses équipées dans les bordels parisiens devaient beaucoup à la vie nocturne de son créateur. Fait avéré ou simple paranoïa, il avait accusé Cocteau de ne pas savoir distinguer l'homme qui écrit de celui qui vit, d'ignorer qu'un livre est le produit *d'un autre* moi *que celui que nous manifestons dans nos habitudes, dans la société, dans nos vices*, bref, d'en être resté aux pratiques déplorables d'un Sainte-Beuve, ce critique qui avait méconnu le génie de Baudelaire et de Nerval, pour avoir pris l'habitude de juger l'homme avant l'écrivain.

... S'il y a communication à « l'aller », de la vie à la littérature (la vie nourrissant la littérature), il n'y a par contre aucune communication, aucun « retour » de la littérature à la vie, lui avait précisé Proust dans une lettre excédée. Autrement dit, si mon expérience a pu nourrir les silhouettes du Narrateur et de Charlus, leurs comportements ne peuvent en rien m'être appliqués. Renforcé par le refus de confesser la moindre singularité sexuelle, l'axiome allait servir de base intangible à son rejet de toute lecture biographique, dont Cocteau aura été l'un des déclencheurs, bien à son insu.

Mais Cocteau ne se laisse plus faire. Dans les théories proustiennes, il ne voit que l'exacerbation du déni qui fait bondir *le petit Marcel* dès qu'on évoque son snobisme ou son homosexualité. Il sait que, s'il a choisi de prêter à Charlus ses fantasmes les moins avouables, c'est que cette « poupée » virile va dire tout ce que les lèvres de son ventriloque ne peuvent articuler. Quant aux reproches touchant à son sainte-beuvisme supposé, il a trop vu Proust lui demander des détails sur la vie privée des écrivains qu'ils connaissent et faire preuve d'indiscrétion au sujet de ses amis – Gide s'en plaint assez –, pour ressentir un quelconque embarras.

Proust n'en démord pourtant pas : loin de garantir un jugement éclairé, insiste-t-il, la proximité avec un écrivain encourage les pires erreurs d'interprétation. Non content de reprocher à Sainte-Beuve d'avoir toujours attendu la mort de ses amis pour commencer à critiquer leur œuvre, avec d'autant plus de sévérité qu'il avait été complaisant de leur vivant, il ne cessera plus de reprocher à Cocteau son *charlisme*, si préjudiciable à leur amitié. Comme si son cadet était tout aussi incapable d'une évaluation littéraire autonome que l'auteur des *Lundis*.

Connaissant tous les ressorts de la machine célibataire proustienne, Cocteau choisit de la laisser tourner à vide. « ... (Marcel) reprochait à ses intimes des intrigues d'un tel machiavélisme de nuances, des impolitesses si complexes qu'il était impossible de se sentir coupable de quoi que ce soit. Il fallait feindre de l'être, entrer dans le jeu, suivre sa pente, quitte à la remonter ensuite pas à pas et à lui prouver qu'on n'était point coupable, tout en donnant à ses preuves le labyrinthe (...) sans lequel l'amitié, pour Marcel, n'aurait eu aucun charme », écrira-t-il dans *Mes monstres sacrés*.

Etait-ce sa faute, alors que la Chevigné avait plutôt apprécié *son* portrait, dans le premier tome du *Côté de Guermantes,* si Proust avait tout gâché en lui promettant : *Tout mon prochain volume est sur vous* ? Qu'y pouvait-il si, prévenue contre une suite qui lui était nettement moins favorable, et qu'elle n'avait reçue que bien après tout le monde, la Chevigné lui avait demandé, en brandissant son exemplaire dédicacé du

Côté de Guermantes II, d'annoter les *seuls* passages la concernant ?

Proust avait certes retardé son envoi, par crainte des réactions de la Chevigné. Mais il s'estimait quitte, elle-même n'ayant jamais répondu au courrier de trois pages où il lui rappelait leurs inoubliables premières rencontres, qui provoquaient en lui de mini-crises cardiaques et la laissaient positivement *de marbre*. Pas un instant il n'avait prévu que la vanité et l'inhumanité de la duchesse de Guermantes allaient révolter la comtesse, comme si elle se découvrait dans un miroir mortel.

A qui la Chevigné confiera-t-elle son dégoût pour un personnage qui se soucie bien plus d'un déjeuner chez Mme de Saint-Euverte que de la maladie mortelle de Swann ?

A Cocteau, bien évidemment.

De l'obscure dame d'honneur du dernier prétendant au trône de France, Proust estime pourtant avoir fait une inaccessible souveraine, dont la chasse illumine toute sa cathédrale. Ayant embaumé l'essence de la Chevigné sous le gisant mythologique de la duchesse de Guermantes, il s'attend à des élans de reconnaissance qui mettraient son Mémorial à hauteur de celui de Saint-Denis, où reposent les rois de France : le monument qu'il lui a consacré, il n'en doute plus, vaut celui que Pétrarque érigea à la première Laure de Sade.

Mais la Chevigné ne lui fera pas même l'hommage d'un mot écrit. Et quand, sur son insistance, Cocteau viendra personnellement lui lire les passages la concernant, elle se bouchera les oreilles jusqu'à ce qu'il referme l'ouvrage.

Comment pouvait-elle garder le silence, ne cessera plus de se plaindre Proust, alors que l'on donnait déjà des cours en Suède et des conférences en Hollande sur la duchesse de Guermantes, et qu'il avait reçu huit cents lettres à son sujet, *sans trouver la force physique de leur répondre* ? « Etre méconnu à vingt ans de distance par la même personne », finira-t-il pas s'indigner, en la rajeunissant une dernière fois, dans une nouvelle lettre à la comtesse, qui ne prit pas plus la peine d'y répondre...

Que ce portrait ne soit pas toujours flatteur, il en convient. Mais il estime avoir considérablement grandi la Chevigné, en lui réservant une place centrale dans son œuvre. *En faisant d'elle un puissant vautour, j'empêche au moins qu'on la prenne pour une vieille pie*, ajoute-t-il à l'intention d'Armand de Guiche, avec la rage caractéristique de ses toutes dernières années. Comme s'il se vengeait de l'avoir trop longtemps idéalisée et voulait, là plus qu'ailleurs, rattraper le temps perdu à la courtiser.

La comtesse a d'autres raisons de lui en vouloir, curieusement : en lui confiant que son garçon d'ascenseur mène directement Proust dans ses appartements, sans même l'annoncer, la princesse Soutzo lui a laissé entendre que l'écrivain était chez lui chez elle. La Chevigné a ainsi compris que son chantre avait transféré sur la compagne de Morand une part de la passion dévorante qu'il avait pour elle, et en a été piquée. Comme si elle aussi était remplaçable, pour finir...

Proust aurait été ravi de voir la jalousie la gagner, mais l'apprit-il jamais ?

N'aurait-il pas dû plutôt trouver logique son silence, lui qui écrivait déjà en 1911 à Mme Straus : ... *Hélas pour les gens du monde l'intelligence, je ne sais pas comment ils font, n'est qu'un multiplicateur de bêtise, qui l'amène à une puissance, à un éclat inconnus. Les seuls possibles sont ceux qui ont eu l'esprit de rester bêtes.* En ne lui disant rien de son livre, la Chevigné appliquait scrupuleusement ses recommandations.

Proust se plaignant sans cesse de ce silence, Cocteau s'impatiente. *On ne peut pas demander à un hanneton de lire l'histoire naturelle !* finit-il par lui lancer. Mais le mot ne fait qu'aviver la frustration de son aîné, lequel ne trouve rien de mieux que d'aller frapper encore à la porte de la comtesse à minuit passé, une heure où seuls les accoucheurs sont admis, pour exiger des explications. De nouveau accablée de lettres, la descendante du marquis de Sade finira par demander à sa petite-fille, la future Marie-Laure de Noailles, de brûler *les dindonnades de ce raseur*, mettant ainsi un terme à des années d'échanges inégaux.

De l'oiseau de Paradis dont Proust avait chanté le ramage, au long d'une interminable correspondance à jamais perdue et d'une somme dédiée à son envergure royale, ne restera plus qu'une *poule coriace*, stupide et méchante, que la *Recherche* achèvera de changer en un *vautour couperosé* – un mélange de dérision et de cruauté ayant fini par faire crever la baudruche. En retournant ses épingles à chapeau contre celle qui l'obnubilait, Proust ne mettait pas seulement fin à une passion dès l'origine frustrée par le snobisme d'une femme qui l'éconduisait, dans les jardins des Champs-Elysées, en répétant sèchement : *Fitz-James m'attend*[1] ! Il achevait de révéler au monde le vide que le décor de la comtesse masquait, comme il le fera avec les principaux héros de la *Recherche*, cette gigantesque scène de crime où allaient périr, l'une après l'autre, les figures qui l'avaient hanté. Le meurtre comme ultime façon de prouver sa supériorité à ce monde qui l'avait trop longtemps négligé…

Ses « modèles » n'ayant que trop tendance à se reconnaître dans les figures qu'ils ont en partie inspirées, Proust montre une rétention croissante dans l'envoi de ses volumes. Montesquiou réclamant à plusieurs reprises *Sodome et Gomorrhe*, il ne se résout qu'*in extremis* à le lui expédier, en prenant soin de préciser qu'il s'est appuyé sur feu le baron Doäzan pour bâtir le personnage de Charlus et cela après avoir ajouté, dans la *Recherche* même, que ce dernier éprouvait *le plus grand respect* pour le comte de Montesquiou. Celui-ci aura beau lui répondre que la question des sources ne regardait que l'auteur, il ne tardera pas à s'apercevoir que tout Paris l'avait reconnu sous les traits de Charlus : *Je suis couché, malade de la publication de trois volumes qui m'ont*

1. Le comte Robert de Fitz-James était l'incarnation de la « meilleure » société parisienne. La formule sera reprise telle quelle dans la *Recherche*.

bouleversé, confiera-t-il à un correspondant. Il ne s'en remettra jamais.

Pour refermer le bureau des plaintes et garantir l'originalité littéraire de son œuvre, Proust décrète alors qu'aucun modèle n'a inspiré ses personnages, mais bien plutôt une pléthore qu'il aurait à chaque fois broyée puis dissoute. Une précision en bonne part fondée, mais qui fait sourire les écrivains de son entourage, Proust ayant toujours été le premier à leur demander d'identifier les sources de leurs romans ou de leurs pièces, avec une insistance sur laquelle, on me l'accordera, il serait lourd d'insister.

N'avait-il pas eu la perversité d'attribuer à Basin, le frère de Charlus, les meubles Empire des Montesquiou, avant d'avouer au comte Robert, par lettre, que Swann était Charles Hass, que Mme de Villeparisis était Mme de Beaulaincourt et que Saint-Loup était Bertrand de Fénelon, lorsqu'il enjambe les banquettes de Larue ? N'était-il pas toujours en train de faire mine de cacher ce qu'il voulait souligner, et de taire ce qu'il voulait entendre ? Or, personne n'était familier de ce double jeu comme Cocteau, à qui il avait confié se contredire sans cesse...

La brouille de Proust avec *le caporal Pétrarque* désamorce du moins l'un de leurs plus vieux différends. Le monde où ils se sont connus ayant à peu près disparu, Proust n'a plus à reprocher à son cadet de s'y dissiper inutilement. Emu de voir Cocteau lui demander avec instance un livre pour les éditions de la Sirène. Proust sort du *labyrinthe de politesses, d'impolitesses* et d'accusations qui lui sert de coquille. Le besoin maternant de culpabiliser laisse soudain place à un désir de repentir dans une lettre, sans doute la plus touchante que Cocteau ait jamais reçue de lui :

« ... Depuis les dernières fois que je vous ai vu, j'ai tout d'un coup commencé à vous aimer beaucoup plus. Vous savez les sentiments que j'ai toujours eus. Mais il y a eu des nuées, il me fallait faire un effort de mémoire pour me rappeler la forme de l'astre qu'elles voilaient. Il me serait assez difficile de vous dire pourquoi nos dernières rencontres ont été pour moi comme une démonstration pratique et définitive de ce que vous étiez réellement. Enfin cher Jean je n'insiste pas là-dessus par ce que c'est gentil de le dire mais plus gentil de ne pas trop le dire. »

La tristesse qui gagne Cocteau, à l'aube des années 20, contribue à le rapprocher de Proust, en confirmant toutes les suppositions de ce dernier sur l'irréciprocité des élans humains. Car, s'il l'admire, Radiguet n'aime pas son aîné, ses rendez-vous incessants avec des femmes le prouvent. Or, moins il voit Cocteau et plus ce dernier célèbre cette *machine à tailler le cristal* – une logique familière à Proust, qui n'aura jamais été aussi heureux qu'en expédiant à Reynaldo Hahn des billets lui souhaitant bonne nuit, dans la chambre voisine – sans parler du Narrateur face à Albertine. Que Cocteau ne s'intéresse plus à rien, pas même à ses amis, ne surprend guère plus Proust : *Quand on aime, on n'aime plus personne*, avait-il prévenu.

Consacré par *Parade* et *Le Bœuf sur le toit*, le parcours

dramatique de Cocteau lui semble assez dessiné désormais pour nourrir celui d'Octave, ce neveu des Verdurin qui, longtemps soupçonné d'usurper le talent d'autrui, finit dans la *Recherche* par surprendre tout le monde, un personnage où Proust dut mettre un peu de lui-même. Dans un passage d'*Albertine disparue*, publié en 1925 mais rédigé alors, le Narrateur dit de cet élégant que ses spectacles, ses décors et ses costumes ont révolutionné l'art contemporain, au même titre que les Ballets russes : *Les juges les plus autorisés considérèrent ses œuvres comme quelque chose de capital, presque des œuvres de génie, et je pense d'ailleurs comme eux...* Un *presque* et un *d'ailleurs* qui résument les réserves affectueuses de Proust.

Cocteau émit encore le désir de revoir l'écrivain qui lui aura fait vivre tant de chauds et froids, en douze ans de relation, mais Proust arguera toujours de son surmenage pour décliner. Il voit bien tout ce qu'ils gagneraient à leurs retrouvailles, *nous interrogeant chacun sur le mécanisme de la vie de l'autre*, mais il n'a plus que la force de lui rappeler, en ce début de 1922, combien la moindre phrase lui coûte : *Cette simple lettre, que de médicaments afin de pouvoir hausser la tête pour l'écrire !* Comme si c'était le tuer que de vouloir obtenir de ses nouvelles[1]. Et Proust, au moment de signer, d'exercer cette ultime forme de chantage : *Votre ami chagrin que vous ayez l'air de douter du plaisir qu'il y a à vous voir, mais (si vous*

1. Mme de Chevigné parlait de *moribondage*.

n'êtes pas convaincu), résigné à cette déception après toutes celles que m'apporte chaque journée. Esclave de son manuscrit-gigogne, rivé à son arche comme Noé, la figure biblique qui l'impressionnait tant enfant, Proust vit dans la seule terreur de ne pouvoir achever son œuvre avant de mourir – seule guérison possible à ses yeux.

L'un enfermé dans son livre et l'autre dans son amour, les deux hommes s'éloignent encore. Pris dans un système de miroirs trompeurs, ils ne sont plus que défiance réciproque, comme si leur trop grande lucidité avait eu raison de ces zones d'ombres sans lesquelles aucune relation ne peut se maintenir. Les dérobades de Proust paraissent autant de trahisons à Cocteau ; les manquements de ce dernier confirment Proust dans sa dépréciation globale de toute existence autre que littéraire : « Je prétends qu'un grand écrivain ne peut pas être un grand caractère, disait Jacques Rivière au sortir de la Grande Guerre (...) il faut qu'il se sépare un peu de ses sentiments pour les voir ; et donc ils ne sont jamais (...) aussi vrais que chez les autres. »

Cocteau avait indéniablement fait partie de ces êtres qu'une *petite lampe magique* éclaire de l'intérieur. Repensant à leur rencontre, Proust voyait même se rallumer, dans la nuit du souvenir, la lumière particulière émanant de son regard, digne d'une aube éblouissante. Mais le trentenaire qu'il lui arrive encore de croiser, de moins en moins souvent, n'a plus aucun rapport avec le jeune prodige que Daudet et Hahn lui avaient présenté. En révélant la plupart de ses secrets, le temps lui a retiré toute poésie active ; comme la plupart des pays, des chagrins, des amours, Cocteau s'est éteint aux yeux de Proust.

Le départ pour l'Italie de Morand, son nouveau favori, avait pu encore l'attrister, au beau milieu de la guerre, mais il avait deviné que son chagrin ne durerait pas. Une idée qui l'avait révolté alors, mais qu'il jugeait ridicule aujourd'hui : *C'est de l'égoïsme, c'est qu'on n'aime pas mourir à soi-même, être remplacé par un Proust inconnu de soi qui pourra fort bien se passer de Morand.* Exilé de l'humanité, Proust ne perçoit plus Cocteau que comme un spectre. Le cœur le plus tendre est devenu un organe aride, l'homme le plus délicat, un vampire n'ayant qu'indifférence ou mépris à offrir à ses proches. *Il est curieux de penser que nous nous sommes aimés. Et puis voilà*, écrivait-il déjà à Lucien Daudet, vingt ans plus tôt.

La nature elle-même, avec qui Proust s'est toujours mieux entendu qu'avec les hommes – elle ne peut trahir –, lui est devenue insupportable. Il n'a plus de contact avec le monde qu'au travers des sorties crépusculaires où cette *fantastique abeille* avide de pomper encore *de quoi faire son miel noir*, Cocteau dixit, tente d'apaiser une dernière fois sa soif.

Précédé par une avalanche de coups de fil de Céleste – *Sa tisane est-elle prête ? Et les courants d'air ?* etc. –, Proust fait une ultime apparition à un bal donné pour le nouvel an 1922. Habillé à la mode de 1908, date où il a pris à temps partiel le lit, l'écrivain bouffi, pâle et poudré donne à Cocteau et à Radiguet l'impression d'être un spectre échappé du siècle défunt.

Vingt ans plus tôt, la princesse Bibesco lui avait déjà trouvé l'air d'être *dans son cercueil* en le voyant surgir dans sa pelisse hors d'âge ; il semble déjà mort cette fois, tué par la fatigue et l'abus de Véronal. C'est son double narratif qui paraît avoir trouvé la force de s'échapper de la chambre-cercueil où la *Recherche* finit sa gestation pour interroger quelque duc hors d'âge. *Regardez-le, il est sur le motif !* murmure Picasso admiratif.

Epuisé par quinze années d'écriture, de maladies récurrentes et d'insomnies, Proust meurt pour de bon à l'hiver 1922, sans le « baiser » littéraire de la Chevigné, qui l'aurait aidé à s'endormir à jamais en paix. La reine s'est éteinte après avoir rendu tout son suc, constate Cocteau, qui ajoute ailleurs : *L'abeille meurt de sa piqûre.*

Tout paraît inédit et effrayant à ce dernier, lorsqu'il rend une ultime visite à son ami, le lendemain matin. Il n'a ni à se battre à la porte, ni à enfreindre la moindre consigne. Céleste ne se précipite pas sur lui pour s'assurer *qu'il n'a pas touché la main d'une personne qui aurait touché une rose.* Il n'est même pas accueilli par l'habituel nuage de poudre anti-asthmatique et d'eucalyptus : Proust dort enfin profondément sur son petit lit de cuivre.

Pour la première fois, Cocteau voit *en pleine lumière* ces pièces qu'il ne connaissait que persiennes fermées, toutes lampes éteintes. Elles lui apparaissent plus en désordre que jamais, comme si l'appartement venait d'être cambriolé.

Il reste avec Lucien Daudet à veiller le corps, fixe le visage cireux, note les traînées mauves sous les paupières. La longue barbe en pointe camouflait ce que le visage de leur ami gardait de poupin, la veille encore ; maintenant qu'il a cessé de vivre, elle lui donne l'air d'un grand-prêtre assyrien à la peau d'ivoire. *Cette barbe qui, de son vivant, semblait presque une farce* (...) *dissimulant le galbe du jeune dandy de Jacques-Emile Blanche* (...) *cette barbe, sur son cadavre, devenait un attribut de mage ou de roi,* dira Cocteau dans *Mes monstres sacrés.* Proust est retourné dans cette Perse qui les fascinait, à leur rencontre.

En levant les yeux, Cocteau remarque la cheminée où s'entassent les manuscrits de la *Recherche* et que Céleste a encore aidé à compléter la veille, Proust lui dictant d'ultimes précisions sur la mort de Bergotte : cette pile de papier *continuait de vivre comme la montre au poignet des soldats morts*, note-t-il. L'homme s'est figé, l'œuvre commence à respirer...

Les tomes vont continuer de sortir pendant cinq ans, dans les faits, comme si le fantôme proustien restait dans les caves de la rue Hamelin à parfaire en secret son œuvre. Le démiurge moderne du temps restauré semblait être parvenu à inverser le cours des saisons...

A la demande de Robert, le frère cadet du défunt, Cocteau part chercher Man Ray, lequel vient photographier le masque impérial. Morand enregistre à son tour le corps bruni que veille aussi Reynaldo Hahn. Enfin Gaston Gallimard s'avance pour se recueillir devant l'auteur que sa maison avait rejeté avec dédain, avant de multiplier les repentirs et les génuflexions, les surenchères affectives et financières, au rythme des exigences contradictoires du défunt.

En voyant Cocteau se pencher sur la dépouille, l'éditeur, qui avait tant contribué à les éloigner, fait amende honorable. Comprenant à quel point il était consubstantiel à son monde, il lui propose pour la première fois d'écrire pour lui, à l'occasion de l'hommage que *La NRF* compte rendre à Proust. Comme s'il lui revenait soudain que Cocteau avait été l'un des tout premiers critiques à célébrer *Swann*, au contraire des lecteurs de sa maison. Après l'avoir dépossédé de la *Recherche*, de concert avec *La NRF*, il la lui restituait…

Le très beau texte que Cocteau lui rend, « La voix de Marcel Proust », entraîne un changement d'attitude rue Sébastien-Bottin. A la sortie de *Poésies*, son ultime recueil, *La NRF* avait encore envoyé une pluie de cendres sur cet auteur *doué de plus d'esprit et de talent que la plupart de ceux qu'il imite*, mais dont *la prodigieuse mémoire* n'a d'égal que *la faculté d'oubli.* Cessant avec sept ans de retard de voir en lui l'héritier de De Max et d'Anna de Noailles, Gallimard achève son *mea-culpa* en publiant *Thomas l'Imposteur*, un roman né du miraculeux été 1922 passé avec Radiguet[1].

Mais le départ de Radiguet, qui suit à un an de distance Proust dans la tombe, marque bien plus Cocteau.

---

1. Cocteau devra pourtant attendre encore la mort de Jacques Rivière, en 1925, pour être accueilli régulièrement dans la revue.

Trop meurtri pour mener les obsèques, Cocteau garde le lit, *amputé sans chloroforme*, privé de toute substance, comme si l'on avait arraché le mort à ses flancs : ce cœur avec lequel il signe chacune de ses lettres n'est plus qu'une poche sanglante. Il pleure jusqu'à se vider, ne parvient plus à trouver le sommeil, entend des voix l'accuser d'avoir tué Radiguet en l'encourageant à accomplir sans relâche son œuvre, comme Proust l'avait tant de fois poussé à le faire. En le voyant se terrer dans sa chambre, Paris, cruel, le surnomme *le veuf sur le toit.*

Ils ne supportaient pas sa sensibilité maladive, son perpétuel besoin d'affection, ses vibrations amoureuses, ses larmes à fleur de peau, ses allures fébriles... son bonheur mélancolique. Tout en lui leur paraissait une pose, écrit Pietro Citati de Proust : ces lignes s'appliquent si bien au Cocteau d'alors qu'on pourrait en faire la clef de leur attitude commune face à l'œuvre à accomplir, et à la vie qu'elle défait, mais aussi de leur susceptibilité amicale, de leur soif jamais comblée d'amour et de reconnaissance, qui fit tant pour les rapprocher, avant d'exciter jusqu'au sang leur rivalité.

Cocteau avait toujours eu un rapport presque mystique à ses dons, il y voyait une forme païenne d'élection. Au début de 1925, alors qu'il rend visite à Picasso rue La Boétie, il ressent une impression pénible dans l'ascenseur, comme s'il n'allait plus jamais cesser de s'élever. *Mon nom se trouve sur la plaque,* lui souffle une voix angélique. Son regard s'arrête sur le logo de cuivre apposé par la société Heurtebise.

Un ange ne va plus cesser de le persécuter, la semaine suivante. « Garçon bestial », « d'une brutalité incroyable », « bloc d'invisibilité », il lui inflige le traitement qu'il se reproche d'avoir imposé à Radiguet, jusqu'à lui donner des envies de suicide. *Je n'étais que son véhicule et il me traitait en véhicule. Il préparait sa sortie.* Le matin du huitième jour enfin, Cocteau accepte de gagner sa petite table et accouche d'un poème qu'il tiendra pour le cœur ardent de son œuvre, *L'Ange Heurtebise.*

Allant au-delà des intuitions proustiennes, il cesse d'être le porte-parole de son *moi* conscient pour devenir un scribe obéissant à des puissances occultes.

Jamais il n'a été aussi proche de Proust, à son insu.

La souffrance lui inspire une même conception réparatrice de la création, sinon une forme personnalisée de mystique. Il accepte enfin de faire le deuil de sa vie terrestre et tente à son tour une forme de dépassement par le haut, d'ascension vers une forme de pureté, alors même qu'il se redécouvre chrétien au contact de Jacques Maritain.

Il n'est plus le jeune poète arrogant que Proust morigénait. Le deuil impossible de Radiguet et l'échec relatif de son retour à Dieu, qui entraîne une dépendance croissante à l'opium, lui confèrent une gravité inédite, jusque dans ses désirs. Comme si la terrible vision que Proust avait de leur façon d'aimer le gagnait…

La franchise de *Sodome et Gomorrhe* l'encourage à dire crûment les choses, en 1927, sans pour autant céder au pessimisme de son aîné. Convaincu que leurs difficultés tiennent aux préjugés majoritaires, il se lance dans l'écriture d'une confession à laquelle il va donner un tour militant en déclarant avec superbe : *Je n'accepte pas qu'on me tolère*, après avoir d'entrée de jeu annoncé : *J'ai toujours aimé le sexe fort que je trouve légitime d'appeler le beau sexe. Mes malheurs sont venus d'une société qui condamne le rare comme un crime et nous oblige à réformer nos penchants.*

Sans doute a-t-il moins souffert de son milieu que de ses rivaux. Mais il pense au réconfort que son expérience pourrait apporter aux jeunes provinciaux qu'on cherche à faire rentrer dans le rang, et il leur dit bien fort que leurs désirs ne sont ni honteux ni réformables, pour être l'effet d'une nécessité impérieuse. C'est à la société de se soumettre à la nature, non l'inverse.

Il évite de signer ce *Livre blanc* pour protéger sa mère, qui vit encore. Gide a été plus franc en assumant son *Corydon*, lui reprochera-t-on. Mais Gide a pris soin de faire de son porte-parole un homme parfaitement normal, tout comme Proust a pris soin de doter son Narrateur de maîtresses…

Cocteau est fier, cette fois encore, d'avoir été plus audacieux que son vieil ami. Il ignore qu'il entame un déclin d'un demi-siècle, alors que Proust entre pour toujours dans la gloire.

Posthume

Proust n'avait guère exercé d'influence littéraire sur Cocteau. Quoique étendue sur quatorze ans, la publication de la *Recherche* exigeait une attention trop continue pour une perception aussi épidermique, aussi avide d'impressions nouvelles.

Cocteau la lut-il jamais dans son intégralité ?

Il la découvrit par bouts, si l'on pense aux années d'évocations qui précédèrent dans son cas les publications en volume, et même par petits bouts confus, si l'on remonte aux extraits enchevêtrés que Proust lui lut, dans la fumée du boulevard Haussmann.

Il continue d'éprouver une intense admiration pour cette œuvre qu'il fut l'un des premiers à célébrer, en voyant Proust plonger ses figures dans un *aquarium* capable de révéler leurs pensées les mieux enfouies. Charlus et Françoise sont des personnages inoubliables et le Narrateur, un prodige d'ubiquité, d'intelligence omnivore et d'intuition radiographique. Il lui arrive même de ressentir un regain de culpabilité, en se perdant dans un dédale d'incises et de parenthèses d'où le Narrateur semble lui-même ne plus jamais devoir ressortir vivant. Comme si le pauvre Marcel se tenait encore devant lui et lui reprochait, entre deux crises d'asthme, de ne pas soutenir assez son effort démesuré.

Il garde pourtant des réserves, littérairement. Il bute parfois sur ces phrases surchargées de *que* et de *qui*, de *mais que* et de *par quoi*, qui obligent à lire et relire les étapes d'un récit qui change sans cesse de direction, jusqu'à verser parfois dans le fossé. Tout comme Gide dans son *Journal*, à qui il arrive de dénoncer un *maniaque besoin d'analyse* et des phrases *intolérablement mal écrites*, des fautes de grammaire et des tournures *indéfendables*, il ne se résout pas aux imperfections de la *Recherche*.

En public il continue d'être l'un de ses supporters les plus enthousiastes. Dans le secret de sa conscience, d'obscurs reproches viennent assombrir son élan initial. Le roman lui semble discontinu – personnages aussi brutalement convoqués qu'abandonnés, modèles mal « cousus » au sein d'un même caractère – un vrai manteau d'Arlequin.

D'instinct il cherche à se défaire de ses sujets, en tant qu'écrivain, quitte à les retrouver au prochain tournant, à les traiter sous une autre forme, ou sous un nouveau déguisement ; Proust remet cent fois sur le métier son ouvrage…

Que son intrigue est languissante, pour le génie maigre et tendu de Cocteau !

A cinquante ans révolus, ce bolide peut encore passer

sans transition de la première à la quatrième. Mais, unique en la matière comme en tant d'autres, Proust dispose d'une cinquième vitesse qui peut le faire rouler pendant des chapitres entiers. Et Cocteau se perd dans ce réseau saturé de parenthèses, d'incises et de subordonnées.

Il n'est pas l'homme du grand roman social ou de la somme définitive, quoi qu'il en soit. Les mystères lui semblent bien plus stimulants que les explications, les intuitions, plus fécondes que les théories.

… Si encore il avait l'impression d'être dans un « vrai » roman ! Mais il est bien placé pour savoir que Proust n'a pas inventé grand-chose, tout juste transposé, pour avoir connu tous ses « modèles » et très tôt admiré ses dons mimétiques. Son vieil ami a beau prévenir, dans *Le Temps retrouvé*, qu'il n'est pas *un nom inventé sous lequel il ne puisse mettre soixante noms de personnages vus, dont l'un a posé pour la grimace, l'autre pour le monocle, tel pour la colère…*, il est en droit d'affirmer que la duchesse de Guermantes est *littéralement* Mme de Chevigné, moins les gros mots, les cigarettes et les dents jaunes. Tout comme Charlus est pour l'essentiel Montesquiou, auquel Proust prête ses propres mœurs : après l'avoir connu arrogant et royal, vers 1910, Cocteau avait aussi retrouvé le comte *bedonnant, maquillé, teint, tortillant le derrière*, à la fin de sa vie. Le duc de Guermantes est encore, *stricto sensu*, le comte Greffulhe, avec ses sourcils jupitériens et sa façon de demander tout fort à table, en désignant des convives inattendus : *Qué'q'c'est qu'ça ?* Hormis Mme Verdurin, qui doit autant à Mme Muhlfeld qu'à Mme Straus, et peut-être à Misia Natanson, il n'y a guère de vrais composites dans la *Recherche*, aux yeux de Cocteau...

Charlus est immense, bien au-delà de ce Montesquiou qui nourrissait leur besoin d'admirer et de mythifier, en 1910. Mais il a manqué à Proust la fréquentation au quotidien d'une femme comme la Chevigné pour faire de la duchesse de Guermantes un peu plus qu'une idole dissimulant un pantin. Et si les autres figures inspirées par le gratin frisent l'incohérence, c'est que Proust, s'explique Cocteau, *voulait que ces fantômes fussent ce qu'ils ne sont plus et ce qu'il voulait qu'ils demeurassent*. Rêvant d'être le Saint-Simon de ce Versailles en plâtre, il tenait à voir en eux les reflets directs de la cour du Roi-Soleil ; après avoir idéalisé *ce milieu d'avarice, d'égoïsme et de mort*, il s'était trop acharné contre lui.

Sachant tout de la médiocrité *réelle* de ce faubourg Saint-Germain qui battait froid à son vieil ami, Cocteau en vient à affirmer que Radiguet l'avait infiniment mieux rendu dans son *Bal du comte d'Orgel*. Lui au moins ne tombait pas dans des extases maladives, à sa seule évocation ! Il ne faisait pas de ses figurants les « demi-dieux » d'un culte tempéré par d'horribles accès dénigrants. Ils les voyaient tels qu'ils étaient, sans leur accorder trop d'importance...

Sans doute la place insignifiante que Proust a réservée à ses amis de toujours a-t-elle déçu Cocteau, par contraste. Il n'a pas même eu la consolation de recevoir, comme Lucien Daudet à la publication de *Swann*, un envoi lui disant : *Mon cher petit, vous êtes absent de ce livre ; vous faites trop partie de mon cœur pour que je puisse jamais vous peiner objectivement, vous ne serez jamais un « personnage », vous êtes la meilleure part de l'auteur.* De façon significative, Cocteau ne fera aucun commentaire sur le personnage d'Octave, qu'il passe pour avoir inspiré : surnommé *dans les choux* par la petite bande de Balbec, ce joueur de golf manque trop d'épaisseur pour qu'il se retrouve en lui.

Le livre lui pose un problème de crédibilité, plus profondément. Loin d'y passer aux aveux, Proust ne cesse d'y mentir sur ses vrais goûts, en travestissant les hommes de sa vie. La *prisonnière* n'est que la féminisation hâtive du *groom stupide* que Marcel chambra en le forçant à peindre – un garçon grossier qui confiait au jeune Cocteau : *On crève là-dedans !* Lui seul pouvait parler d'aller se faire *casser…*, ce projet obscène que le Narrateur met dans la bouche de son héroïne[1]. Pourquoi trouve-t-on dans la *Recherche* de toutes jeunes bouchères, mais aucun jeune homme qui n'ait un travail ? Parce que tous les garçons désirés ont été changés en filles.

Plus gênant, Proust a distribué ses « vices » à l'ensemble des protagonistes de la *Recherche*. Tous ou presque se révèlent *en être* dans *Le Temps retrouvé*, hormis le Narrateur, seul à afficher encore des désirs un tant soit peu normaux ! Comme si Jeanne Weil-Proust était toujours là à épier ses faits et gestes, que Marcel

1. Pour « casser le pot ». Un recours curieux à la sodomie, s'agissant de lesbiennes…

la « honteuse » mouillait chacun pour mieux rester au sec, vengeur sortant du placard l'élite qu'il a trop longtemps adulée…

Qu'on ne rétorque pas à Cocteau qu'il s'agit d'une fiction menée par un Narrateur sans nom : ce personnage qui dit sans cesse *je* et qui, à deux reprises et comme par inadvertance, se voit prénommer Marcel, émet les points de vue sur l'art, la vie et l'amour qu'il a mille fois entendu son ami tenir, dans la vraie vie. Et c'est bien la voix de ce dernier qu'il entend à chaque phrase, portée par on ne sait quel *véhicule mystérieux*[1]. Qui se cache donc sous ce Narrateur, sinon le fils qui faisait croire à sa mère qu'il organisait des *dîners de cocottes*, et lui mentait avec tous les remords inhérents à cette « race maudite » pour qui *l'idéal de la beauté et l'aliment du désir est aussi l'objet de la honte et la peur du châtiment*[2] ?

Comment Cocteau supporterait-il de voir Proust, sous

---

1. La voix du Narrateur de *Swann*, confirme Morand, était exactement celle de Proust. Lucien Daudet parle de son côté d'une « voix accessible, pas du tout "transposée" par la littérature, voix qu'on pourrait interrompre pour lui demander le temps qu'il fait, à quoi le narrateur répondrait des choses magnifiques sur la température, qu'il incorporerait à mesure à sa pâte, sûr de la bonne fermentation ».

2. « Race maudite, précise Proust dans *Contre Sainte-Beuve*, persécutée comme Israël et comme lui ayant fini, dans l'opprobre commun d'une abjection imméritée, par prendre des caractères communs, l'air d'une race, ayant tous certains traits caractéristiques, des physiques qui souvent répugnent, qui quelquefois sont beaux, des cœurs de femme aimants et délicats, mais aussi une nature de femme soupçonneuse et perverse, coquette et rapporteuse, des facilités de femme à briller à tout, une incapacité de femme à exceller en rien. »

couvert de fiction, traiter leurs mœurs avec ce *mépris du moins homosexuel pour le plus homosexuel, comme du plus déjudaïsé pour le petit Juif* que son *Contre Sainte-Beuve* même dénonce[1] ?

Il soupçonnerait presque son vieil ami, en devenant ce Narrateur anonyme, d'avoir voulu se défaire d'un nom ridicule, plus encore que celui de *Coq-tôt*, ou de *Cocto*, comme Proust l'écrivait les jours d'agacement, car bien trop proche de ces « prout ma chère » et autres « prout-prout » qu'il craignait tant d'évoquer[2]. Sans parler de ce *Marcel* si prosaïque, si populaire, qui servira à nommer les maillots de corps des ouvriers…

Il n'est pas seul à réagir ainsi. Sachant aussi que Proust n'a jamais aimé les femmes que *spirituellement*, pour avoir recueilli ses confidences érotiques, Gide peste tout autant contre le camouflage opéré par ce *grand maître en dissimulation*. Sans parler de Miss Barney, l'Amazone saphique, qui juge parfaitement *invraisemblables* Albertine et ses amies…

Des mensonges vivants, voilà à quoi se résument les héros proustiens aux yeux de Cocteau. Les jeunes filles en fleurs s'avèrent toutes des grues, les bourgeoises de sordides entremetteuses et les coureurs de femmes

---

1. « Car si au fond de presque tous les Juifs il y a un anti-sémite qu'on flatte plus en lui trouvant tous les défauts mais en le considérant comme un chrétien, au fond de tout homosexuel il y a un anti-homosexuel… », ajoutait Proust.

2. Le narrateur de *Contre Sainte-Beuve* entend encore gronder le sien, dans la bouche de l'huissier présentant les invités de la soirée Guermantes, *comme un tonnerre obscur et catastrophique* (« La race maudite »).

des habitués de clacs masculins. « Swann, Odette, Gilbert, Albertine, Oriane (...) que me veulent ces fantoches ? Je touche la carcasse qui les accointe, les joints de leurs rencontres, la haute dentelle de leurs trajets. Plus m'y frappe l'enchevêtrement des organes que celui des sentiments, l'entrelacs des veines que la chair. J'ai l'œil d'un charpentier sur l'échafaud du roi. Les planches m'intéressent d'avantage que le supplice », écrit-il.

Le Narrateur revenant contaminer l'auteur, comme Proust le lui reprochait déjà, Cocteau accuse non seulement l'œuvre de fausseté intrinsèque, mais l'auteur d'avoir toujours feint. Il ne voit plus dans les tortueuses démarches amicales de Marcel que les simples *salamalecs d'un marchand oriental* – sans rien dire de ses lettres entortillées, qui faisaient dire aux naïfs qu'il était la bonté même ! Si l'on pourra tant lui en voler sans le peiner, à l'avenir, c'est qu'il ne les considérait plus que comme de simples fictions.

Il garde un souvenir impérissable du génie si singulier de son ami. Mais c'est l'homme qu'il est tenté de perpétuer, quand on l'interroge, plus que l'œuvre. C'est la voix *capitonnée* de Proust qu'il aime à faire entendre, plus que la *Recherche* : la première lui était déjà familière, vingt ans avant que la seconde ne soit intégralement publiée.

Quand un jeune écrivain lui rend visite, il a moins droit à une analyse du *Temps retrouvé* qu'à une reconstitution grandeur nature des fous rires de ce Nemo urbain, de ses stratégies aberrantes de lectures, de ses ruses pour corrompre les ouvriers travaillant dans l'immeuble, afin qu'ils cessent de faire du bruit…

A sa première visite rue d'Anjou, au début des années 20, un jeune homme de seize ans avait ainsi assisté à la recréation d'un Proust commentant ses embarras domestiques, monologues asthmatiques à l'appui. Maurice Sachs avait tant aimé l'exercice que Cocteau avait dû le prolonger en ressuscitant le timbre argenté d'Anna de Noailles, les chuchotements sarcastiques de Satie puis les hurlements furieux de Tzara.

Cocteau adorait ces récréations polyphoniques. Il lui semblait revivre l'époque heureuse où Proust, Daudet et lui passaient une partie de la nuit à imiter Diaghilev ou Montesquiou, jusqu'à en pleurer de rire…

Son « Proust » tendant au chef-d'œuvre, Sachs en avait redemandé. N'était-il pas le petit-fils de l'épouse de Jacques Bizet, l'homme dont Proust avait été secrètement amoureux ?

Cocteau l'avait alors « introduit » dans la chambre tapissée de liège, à la suite d'une gouvernante anxieuse de savoir s'ils avaient été en contact *avec une femme parfumée* et qui leur avait fait découvrir, au fond de son lit, les mains prises dans des gants jaunes devant l'empêcher de se ronger les ongles, le maniaque enfoui dans son manuscrit-accordéon, ses médicaments anti-asthme et ses inhalateurs…

Et le tout jeune homme avait entendu « Proust » lire des extraits de son livre, hésiter entre des passages qui ne trouveraient leur explication que bien plus tard…

Déjà ébloui par la lecture de *Thomas l'Imposteur* et des

Enfants terribles, Sachs était tombé amoureux de Cocteau. Il s'était mis à imiter sa façon de parler, d'écrire et de s'habiller, s'était tourné à son tour vers le Christ, était même entré au petit séminaire pour célébrer son nouveau dieu…

Cocteau chercha-t-il à entretenir le culte qu'il lui vouait ? Ou voulut-il au contraire l'apaiser en lui offrant un nouvel objet d'admiration littéraire ? Il donna à Maurice Sachs quelques-unes des lettres que Proust lui avait écrites, préférant voir ces souvenirs vivre chez le plus passionné de ses admirateurs que jaunir dans ses placards. Aurait-il été si généreux s'il avait *viscéralement* tenu aux mots que Proust n'avait cessé de lui envoyer, en douze ans de relation ? Sachs n'aurait-il pas préféré une *vraie* lettre signée du cœur qu'il ajoutait volontiers à son prénom ?

Sa passion sans réponse tournant au dépit, le jeune homme retourne chez Cocteau pour le voler – encore l'héritage de Carmen (« … et si je t'aime, prends garde à toi… »). Loin de s'en offusquer, pourtant, Cocteau s'en dit *presque soulagé*. Comme si ces missives chargées d'incompréhension, de reproches et de fatigue l'embarrassaient, comme elles n'étaient plus que les reliques d'une amitié trahie…

Fut-il le complice d'une braderie destinée à financer l'opium qui pouvait seul lui faire oublier la mort de Radiguet ?

Sachs l'assurera.

Interprétant son indulgence comme une incitation, le jeune *fan* revient à la charge. Il cible l'endroit où dorment les manuscrits restants et retourne rue d'Anjou en l'absence de leur propriétaire avec une charrette : deux cents lettres de Proust auraient disparu ainsi. Cocteau avouera avoir croisé le jeune homme dans la rue, poussant son butin, alors qu'il sortait lui-même de chez la comtesse de Chevigné, mais il n'aurait pas même eu la présence d'esprit de l'interroger…

Encouragé dans son vice, Sachs revient prendre des lettres où Proust se plaignait de l'indifférence littéraire de cette même comtesse, ainsi que des tomes de la *Recherche* couverts de commentaires de Proust et de vers évoquant les bonds que le jeune Cocteau effectuait dans le restaurant où ils se retrouvaient, à l'époque des Ballets russes[1].

Prévenu de ce nouveau larcin par Gaston Gallimard, qui a recruté Sachs comme éditeur et s'est vu proposer le tout par un brocanteur, Cocteau passe encore une fois l'éponge. Comme s'il tenait moins au souvenir de son ami qu'à la réinterprétation de son personnage et qu'il ne cherchait plus, en « cannibalisant » Proust, qu'à acquérir son aptitude précieuse à produire un chef-d'œuvre.

Un quart de siècle durant, Cocteau va parfaire son « Proust » devant les assemblées les plus diverses. En

1. *Afin de me couvrir de fourrure et de moire,*
Sans de ses larges yeux renverser l'encre noire,
Tel un sylphe au plafond, tel sur la neige un ski
Jean sauta sur la table auprès de Nijinski
C'était dans le salon purpurin de Larue
Dont l'or, d'un goût douteux, jamais ne se voila…
Saint-Loup a le même geste, dans la *Recherche*.

1961 encore, il le ressuscite si bien, lors d'une soirée donnée par la nièce de Proust, que chacun des invités a l'impression saisissante, Céleste la première, de revoir *le petit Marcel* s'époumoner dans sa chambre de liège : Cocteau c'était *le temps retrouvé*, physiquement parlant.

Ces hommages répétés nourrissent en même temps une secrète amertume chez Cocteau, selon un paradoxe dont Proust avait fait les frais, au début de leur relation. La gloire grandissante de son ami lui donne l'impression de lire en négatif son propre destin. Pourquoi Proust est-il devenu incontestable, alors que sa *Recherche* peut *aussi* être lue comme un collage de pastiches de Saint-Simon et de la Sévigné ? Et pourquoi lui-même ne peut-il peindre une chapelle sans s'entendre citer Picasso et Matisse, ou s'aventurer dans le domaine théâtral, chorégraphique ou filmé sans être traité de *Paganini du violon d'Ingres*, selon la définition ironique qu'il eut le malheur de donner de lui-même ?

Proust avait sans doute eu raison de lui reprocher une lecture trop rapide des choses, puis de l'encourager à descendre en apnée en lui, à écrire *de l'intérieur* de lui-même. Mais il a accompli tant de chemin depuis !

N'a-t-il pas éclairé ses faiblesses, ses manques et ses misères, avec une humilité de franciscain, dans *La Difficulté d'être* ou le *Journal d'un inconnu*, ces auto-analyses déchirantes de franchise ? N'est-il pas allé loin dans l'aveu du peu d'amour que lui inspire, après cinquante ans de lutte, le personnage qu'il figure aux yeux du public ? Ne s'est-il pas dépouillé de son brio et de sa facilité, pour aller au plus nu, au point de ne plus se sentir heureux qu'au contact des maçons et des plâtriers qui préparent ses chapelles, de Menton à Villefranche ? Un simple artisan, parfois visité par un démon qu'il tente, modestement, de servir de son mieux, voilà comme il se perçoit désormais.

Les critiques continuent de le considérer comme une célébrité, plus qu'un écrivain, pourtant. Ils s'interrogent sur la constance de cet artisan trop prolifique pour ne pas être suspect, à l'époque du *Less is more* émergeant...

Pour tenter de les infléchir, il les invite chez lui pour évoquer son travail. Au détour d'une phrase, il leur apprend que Proust a très tôt vanté sa façon de rassembler *d'un signe flamboyant les vérités les plus hautes.* Devant leur surprise, il se lance dans une histoire illustrant la profondeur des liens qui les unissaient déjà, aux temps héroïques du lancement de *Swann.* Mais ils ne le croient qu'à moitié, ou attribuent ces récits à son désir d'impressionner.

Il a accompagné de tant de coups de cymbales ses livres...

Certes, il a connu Proust, mais est-ce suffisant pour garantir sa valeur littéraire ?

Désespéré de se voir si mal compris, Cocteau en vient à penser que son œuvre elle-même ne le supporte plus. *Il faut être un homme vivant et un artiste posthume,* se répète-t-il, l'exemple de Proust en tête.

Ce dernier aimait évoquer le trajet qu'accomplit l'artiste pour se réaliser, devenir véritablement *lui-même* dans le strict espace de sa création, avec pour seul aide *l'homme périssable, pareil à ses contemporains, pétri de défauts, auquel une âme véritable était enchaînée, et contre lequel elle protestait, dont elle essayait de se séparer, de se délivrer par le travail* : cette âme est impatiente de voir mourir Cocteau pour s'épanouir enfin.

Lui qui était si généreux envers ses pairs en vient à les jalouser. Pourquoi sa cathédrale de lumière vaut-elle à Proust toutes sortes de pèlerinages tandis que les pauvres Cocteaux continuent de courir de livre en film et de chapelle en ballet derrière la reconnaissance ? Ses hors-bord, ses avisos et ses vedettes ne forment-ils pas une flottille aussi imposante que la nef surchargée de Proust ?

Son aîné fut un grand navigateur du dedans, il l'admet volontiers. Il sut plonger dans les abysses humains, une lampe tempête à la main, afin d'éclairer ces profondeurs périlleuses où la vie s'abîme et l'œuvre s'élabore. Mais pourquoi lui conteste-t-on ce titre… Parce qu'il a d'abord montré plus de dispositions pour le cabotage, tandis que Proust se lançait dans sa traversée au long cours ?

Si ce dernier pouvait voir avec quel courage, plongeant en lui, il affronte désormais tempêtes et ondées, au terme d'une vie ayant trop suscité d'attentes pour ne pas le désespérer à son tour ! Ne fait-il pas aussi partie de ces aventuriers qui, au début du XXe siècle, se mirent à l'écoute de leurs *flux de conscience,* de Vienne à Paris, et partirent à la conquête de leur *moi* profond, cette nouvelle frontière intérieure ? *Tout ce que nous connaissons de grand nous vient des nerveux. Ce sont eux et non pas d'autres qui ont fondé les religions et composé les chefs-d'œuvre*, affirmait son aîné.

N'en est-il pas un, lui aussi ?

N'a-t-il pas montré plus de *sincérité* littéraire que Proust, lequel persiste à se dérober sous d'innombrables déguisements dans la *Recherche* ?

Le merveilleux « Plain-Chant », où il dit sa jalousie pour les corps que Radiguet désirait en rêve, n'est-il pas, avec le recul, plus *proustien* que les maniaqueries d'un Narrateur préférant voir Albertine se rendre aux Trois Quartiers, plutôt qu'au Bon Marché plus vaste, où elle aurait allumé bien plus de regards concupiscents ?

Le doute gagne Cocteau, à d'autres instants.

Son œuvre serait-elle trop nerveuse, malingre et dispersée ?

Ne serait-il parvenu qu'à se réengendrer lui-même, alors que son aîné concevait un « enfant » plus grand que lui, quitte à vivre dans la hantise de l'avoir fait obèse, difforme et invivable ?

Par quel miracle cet ami maladif se serait-il révélé une mère plus féconde ? Comment un être aussi fragile, que tant d'intelligences avaient colonisé, de Ruskin à Montesquiou, avait-il pu s'assurer une telle santé posthume ? Aurait-il eu raison de voir dans une forme de bêtise la condition nécessaire à sa compréhension ?

Cocteau se le demande…

La force qui le fait inlassablement écrire se retourne alors contre lui. Elle lui reproche d'avoir consacré plus d'énergie à faire connaître Proust, Satie, Picasso,

Radiguet et Genet que lui-même, elle se dresse contre son altruisme dévorant.

Plus on le rabaisse, dans la presse ou la radio, plus elle réclame justice.

C'est lui le grand écrivain, le poète qui a exploré les profondeurs du sommeil, les ressources de l'opium, la magie du rêve à travers films, dessins, nouvelles, fresques !

Sans doute n'est-il pas le demi-dieu qu'il s'imaginait être, dans l'intimité d'Anna de Noailles, mais il est un génie polymorphe comme on n'en reverra pas avant longtemps.

Pourquoi la Pléiade pour son vieil ami, qui trahit son manque de goût en décrivant les toiles d'Elstir, et non pour lui ? Pourquoi ces colloques autour d'un écrivain dont *la peinture écrite* évoque plus Béraud, Besnard et Boldini, les petits maîtres de la Belle Epoque, que Vuillard, Manet ou Degas, les « grands » d'alors ? Pourquoi ces foules qui se jettent sur les écrits de jeunesse de Proust, persuadées qu'elles auraient d'instinct reconnu son génie, et pourquoi ce dédain pour celui qui fut l'un des seuls à célébrer *Swann* ?

On a beau s'extasier sur la portée universelle de la *Recherche*, Cocteau y voit d'abord un fantastique témoignage personnel, une feuille de température où la moindre rechute de son ami apparaîtrait en rouge. L'histoire de cet homme qui aimerait tant écrire un jour, mais s'en croit incapable, pour qui la clef de l'existence se cache dans le comportement des ducs, des cocottes et des parvenus, qui torture ses improbables maîtresses afin qu'elles nourrissent sa jalousie, n'est à ses yeux que l'expression de l'impuissance à vivre de son ami Marcel.

Qu'importe la distance ironique que Proust prend avec un Narrateur qui repousse sans cesse la perspective de se mettre au travail, faute de savoir quel contenu donner à sa vocation fantomatique, et qui n'écrit rien pour finir, sinon un poème en prose consacré aux cloches des églises de Vieuxviq et de Martinville ! L'impuissant qui ne signe que ce seul poème de 39 lignes, tout au long d'un roman de 7 408 pages[1], n'est autre, pour Cocteau, que le non-écrivain que son ami fut longtemps.

Il ne voit pas les effets réparateurs d'un livre où c'est Charlus qui fait en vain la cour au Narrateur, avant de finir en gros bébé pathétique, tandis que ce dernier a la révélation de sa mission littéraire, mais aussi la chance d'emménager dans le même immeuble que la duchesse de Guermantes, laquelle finit en *has been* sociale, réduite à ouvrir ses portes à ces actrices qu'elle méprisait tant : « *Le plus grand bonheur que j'eusse pu demander à Dieu*, ajoute cruellement le Narrateur, *qui eût été de faire fondre sur elle toutes les calamités, et que, ruinée, déconsidérée, dépouillée de tous les privilèges qui me séparaient d'elle, n'ayant plus de maison où habiter ni de gens qui consentissent à la saluer, elle vînt me demander asile.* »

Cocteau a beau connaître des formes sauvages de

1. Dans les 4 volumes de l'édition actuelle de la Pléiade.

religiosité, il ne parvient pas même à percevoir la volonté d'ascèse rédemptrice de Proust. Il pressent que la *Recherche* joue sensiblement le même rôle que la chapelle qu'il vient de décorer à Milly-la-Forêt, où il reposera un jour, mais il veut croire qu'elle renferme le corps *réel* de Marcel, non un organisme littérairement modifié que la lumière, filtrée par les couleurs des vitraux, ne cesse de modifier selon l'heure et la personnalité du lecteur.

Incapable de dissocier ce Narrateur qui adore sa grand-mère de l'être terrestre que Mme Proust mit incomplètement au monde, être que son fils abandonna à son tour, comme une vieille pelisse mitée, indigne de sa *vraie* personne, pour tisser sa *Recherche* jusqu'à en mourir, Cocteau sainte-beuvise plus que jamais. Tout comme le critique le faisait, il semble profiter de la mort de son ami pour exprimer mille réserves sur son œuvre ; le pauvre Proust de chair lui masque le saint de papier. Il ne voit pas que le Narrateur est autre que *le petit Marcel*, tout comme Charlus est plus que Montesquiou + Proust + Ruskin, et la duchesse de Guermantes que la Chevigné multipliée par Mme Straus. Qu'il a abandonné son « géniteur » à sa bonté névrotique pour faire de la *Recherche* un confessionnal à plusieurs entrées où, tandis que Proust ne confiait jamais rien dans la vie, pas même à sa mère, il avoue cette fois, par la bouche de dizaines de personnages, ses pensées les plus sournoises et ses fantasmes les plus dérangeants, dans l'espoir d'obtenir la punition morale et l'absolution littéraire qu'il mérite. C'est en se démultipliant que Proust a pu signer le Livre qui l'a sauvé de sa vie misérable et lui a offert cette existence posthume de première classe.

Pas un instant en outre Cocteau ne soupçonne que, si Proust se dissimule derrière un Narrateur « normal », c'est pour mieux nous entraîner dans les bas-fonds sexuels dont il a une connaissance qui aurait dû, au passage, alerter les plus naïfs. Sous ce masque, il cherche à communiquer au plus grand nombre son étrange savoir tout comme, en cachant sa demi-judéité, il cherche à susciter l'identification la plus large. En se travestissant en hétérosexuel et en chrétien accompli, il tente non seulement de s'universaliser, dans l'espace rédempteur de son livre, mais il veut faire tourner à plein régime ces machines à rêver qu'étaient à ses yeux l'amour et le snobisme, afin de leur donner leur pleine dimension romanesque. C'est ainsi qu'il s'est fait la caisse de résonance du monde, excédant sa simple individualité.

Si ce Narrateur n'a ni nom ni prénom, n'est-ce pas du reste qu'il n'est *personne* en particulier, pas même le fils de sa mère, mais un pur et simple Nemo, selon le latinisme qui servait à baptiser les enfants trouvés, et certain capitaine ? En quête constante d'identité, Proust l'a trouvée en se dissolvant dans ce *Nil du langage* dont parle Walter Benjamin, où il put unifier ses formes disparates de perception, de pensée et d'expression, passer de la botanique à la philosophie et d'un traité sur les « hommes-femmes » à des considérations sur la réédification de Sion.

Comment imaginer enfin que Proust ignorait ce qu'il faisait en rendant anonyme le *je* de son livre, alors qu'il y confesse d'entrée de jeu le pouvoir extravagant que les patronymes et les noms de lieux ont sur lui ? En se débaptisant ainsi, il cherche à dire ce qu'il y a d'*innommable* dans toute vie, un mot que Cocteau ne veut prendre que dans sa seule acception morale. Le voyeur universel qu'est Proust aura certes cherché jusqu'au dernier souffle à ne pas être pris sur le fait, mais en le renvoyant à leur seule exception sexuelle – à sa *province érotique*, dit Michel Schneider dans son remarquable *Maman* –, Cocteau restreint *de facto* le champ d'action de sa *Recherche*. Comme s'il avait trop subi la singularité de son ami pour lui attribuer une quelconque universalité.

Mais comment resterait-il impassible en voyant les universitaires traiter l'œuvre que Proust qualifiait de *roman autobiographique* comme une somme enclose sur elle-même, sans plus aucun rapport avec l'homme qui l'écrivit et les mille figures qui l'inspirèrent ? Les rédacteurs puritains de *La NRF* ne l'avaient-ils pas eux-mêmes imploré, à la mort de Proust, de les mener chez la comtesse de Chevigné afin qu'ils puissent voir et entendre *la vraie duchesse de Guermantes* ? Et les proustologues en étaient à tenir pour négligeable ou même dégradante la question des sources, afin de doter la *Recherche* de cette autonomie romanesque qui permet d'attribuer aux gloses savantes leur envergure maximale... Renchérissant sur les désirs de Proust, ils faisaient comme si son roman n'avait jamais eu de modèles, cachaient l'assassin pour mieux valoriser le saint.

Capable d'identifier chaque pierre de la cathédrale,

chaque fragment de verre de ce kaléidoscope mal assemblé, Cocteau est à même d'affirmer que la nef littéraire partout encensée n'est qu'une addition de rafiots ; l'ultime chef-d'œuvre à tiroirs héritier du grand projet balzacien n'est que l'amplification étouffante du frêle travail de nouvelliste mondain entamé par Proust avec *Les Plaisirs et les Jours.*

Une pure et simple *marmelade* littéraire, où rien n'est raccord et où personne ne s'entend, en vient-il à préciser. Où chacun reste enfermé dans sa capsule sensible, au cœur d'un monde si *asphyxiant* lui-même que le lecteur ressent régulièrement le besoin de mettre un masque... *Un amas d'absurdités, coupé de morceaux de bravoure*, ajoute Cocteau.

Il faut évidemment s'interroger sur les ressorts d'un cadet qui ne put faire de vrai roman – *Thomas l'Imposteur* et *Les Enfants terribles* sont de grosses nouvelles –, et qui ne cacha jamais profond ses clés. Mais on peut comprendre, je crois, qu'il ait eu peine à oublier que son ami écrivait son livre à une époque où leurs désirs suscitaient, chez les plus coupables, ces cachotteries et cette curiosité de « trou de serrure » qui frappent tant, à la lecture de la *Recherche.*

Le Narrateur se dissimulerait-il d'ailleurs aussi radicalement, un siècle après la sortie de *Swann* ? L'état des mœurs et la franchise de la production contemporaine m'en font douter[1]. L'exigence globale de transpa-

1. Le manuscrit de 1913 serait de toute façon refusé, et avec encore moins d'égards qu'alors, par les mêmes maisons d'édition

rence le pousserait plus probablement vers un récit où les personnages conserveraient non seulement leur chapeau mais leur sexe. Le voisinage vivant de ses modèles pourrait même pousser le Proust de 2013 – si une telle chimère est concevable – à plus d'exactitude et donc de crédibilité, pour les contraindre à se reconnaître dans son miroir visionnaire. Et il s'y confesserait de façon sans doute plus frontale, sans forcément aller jusqu'au franc *coming-out* littéraire, ou à l'autofiction pure et simple.

Ne nous a-t-il pas appris à distinguer le narrateur et l'auteur d'un roman, et ne se sentirait-il pas protégé par ce distinguo que Cocteau eut tant de mal à intégrer ? N'est-il pas sans cesse à dire dans son livre : *Je ne suis pas le Narrateur* tout en ajoutant à voix basse, à travers des lapsus récurrents et des notes biaisées : *Mais c'est moi, ne vous y trompez pas*[1] *!* N'avait-il pas affirmé à Gide : *Vous pouvez tout raconter, mais à condition de ne jamais dire : je* – et n'avait-il pas tout écrit à la première personne ? Comme s'il avait souhaité être reconnu *in extremis*, après s'être tant dissimulé...

Quitte à faire ce genre de pari prospectif risqué, je

---

quand elles subsistent : trop long, trop difficile, trop saturé de références artistiques et privé d'action pour être commercialisable.

1. Voir la fameuse note de bas de page qui attribue au Narrateur la traduction du *Sésame et les lys* de Ruskin, comme si Proust souhaitait *in extremis* récupérer le mérite de ses aveux. Ou cette précision, dans l'étude sur Flaubert que *La NRF* publia en 1920 : *Quelques miettes de « madeleine » trempées dans une infusion me rappellent (ou du moins rappellent au narrateur qui dit « je » et qui n'est pas toujours moi) tout un temps de ma vie...*

me demande si Proust persisterait à vouloir se protéger à tout prix sous le parapluie de la fiction, aujourd'hui. Sans doute intitulerait-il encore son livre « roman », puisque chacun revendique désormais ce label, sans toujours avoir recours à l'imagination, mais je crois qu'il éviterait de trop modifier génétiquement son expérience. Autrefois conditionné par l'invention revendiquée de personnages, ou par l'altération des êtres et des lieux les ayant inspirés, le « roman » couvre un spectre bien plus large qu'au XIXe siècle. Les auteurs n'étant plus acculés au masquage, pour d'évidentes raisons de morale sociale, la critique est souvent la première à admettre que la restitution de scènes réellement vécues, littérairement portées, peut s'avérer plus *romanesque* que les situations « inventées » des vieux romans à clefs.

Proust avait du reste été beaucoup plus franc dans un premier temps, lui qui avouait encore son nom, dans *Jean Santeuil*, et qui précisait : *Puis-je appeler ce livre un roman ? C'est moins peut-être et bien plus, l'essence même de ma vie, recueillie sans y rien mêler, dans des heures de déchirure où elle découle*.

Jalousie et sainteté

Plus les décennies passent, et plus Cocteau souffre d'un déséquilibre.

Que Proust, dont il était à vingt ans l'aîné littéraire et qu'il « doubla » auprès de la Noailles comme de la Chevigné, l'ait dépassé *in extremis* et continue, après *le sprint final de son arrivée à la gloire*, de mettre chaque année des kilomètres entre eux, dérange ce coureur d'exception.

La tortue l'emporte toujours plus, et c'est pour le lièvre un sujet d'angoisse et d'incompréhension.

Dire que l'œuvre du *petit Marcel* est partout présentée comme un *monument*, au même titre que la tour Eiffel ! Il a presque l'impression de loucher, en repensant à l'asthmatique qui manquait tant de confiance en lui.

On se doit d'avoir Proust chez soi tout comme on se devait de le fuir, en 1910 ; le marque-mal patenté est devenu un marque-bien absolu : de toutes les métamorphoses orchestrées par la *Recherche*, c'est sans doute la plus incroyable, aux yeux de Cocteau. Les mondains sont les premiers à célébrer celui qui a tant médit du monde, les paresseux à s'appuyer sur son exemple pour se convaincre qu'ils vont aussi se mettre enfin à écrire…

Réservant ses réserves à son journal intime, Cocteau en vient à s'en prendre à la vision du monde de son ami, à son pessimisme affectif en particulier. Pour avoir souvent aimé, et l'avoir parfois été, il sait bien que l'amour n'est pas *cette maladie policière* dont la plupart des personnages proustiens souffrent, mais le désir de combler l'autre. Or le Narrateur ne « chambre » pas Albertine, *dont on se demande tout au long du livre si elle a été sa maîtresse*, pour assouvir ses désirs. Il ne la *perce à jour* que pour sortir de son être tous les sous-êtres qu'elle contient, comme autant de livres-accordéons, jusqu'à la vider. *A se demander (s'il a) connu autre chose que de vagues tripotages*, ajoute Cocteau, en l'identifiant plus que jamais à Proust.

Les capacités analytiques de son ami étaient si larges, sa sensibilité à l'acte amoureux si limitée ! … *Pour moi cette sensation est plus faible que celle de boire un verre de bière fraîche*, avait confié Proust à Jacques Porel, leur ami commun. Cette inaptitude n'est-elle pas la clef de son pessimisme amoureux ? *Pauvre, pauvre Marcel*, en vient à écrire Cocteau, comme aurait pu le faire sa propre mère. *Pauvre malade à l'œil de fou. Il ignorait l'amour. Il ne connaissait que les tortures démoniaques de ses mensonges et de la jalousie.*

Ce monde infernal où les amants poussent en coïtant des cris d'*assassin* a-t-il jamais existé, sinon dans le cerveau malade d'un homme qui, protégé derrière le capiton de ses murs, en était venu à ne plus supporter le moindre contact[1] ?

La dureté dont tous ses personnages font preuve, la férocité d'un Narrateur qui les *jette* de son livre après en avoir extrait tout le suc, comme un peintre ses tubes, le lui confirment : cette inhumanité n'est que le fait de Proust. N'avait-il pas jeté ses pantoufles au visage du jeune Emmanuel Berl, qui persistait à croire en l'amour et avait le tort de paraître heureux ? N'avait-il pas écrit à un proche, peu avant sa mort : *Je commence à dire un peu moins souvent :* Je vous noierai dans un océan de merde. *Adieu cher ami !*

A qui Proust s'était-il durablement attaché, en trente ans de vie adulte, Hahn excepté ? Qui put se croire réellement son intime, avec ce que cela suppose d'abandon confiant ? Pour *faire mieux l'amitié que l'amour*, Cocteau l'accuse de n'avoir jamais su faire ni l'un ni l'autre. *Marcel est comme Anna de Noailles*, l'avait prévenu Lucien Daudet. *Il n'a aucun cœur. Les gens qu'il « aime », il les oublie en cinq minutes. (A moins qu'il ne les tourmente comme des mouches, ou qu'ils ne lui soient prétexte à se tourmenter.)* Les scènes les plus étonnantes de la *Recherche* ne sont-elles pas des épisodes de vengeance ? *Dans l'œuvre de Proust on ne parle jamais d'un enfant, ni d'un chien, ni d'un chat*, note encore Cocteau, comme s'il tenait la preuve définitive de la monstruosité de son ami. La *Recherche*, veut-il croire,

1. *Pour le baiser, nos narines et nos yeux sont aussi mal placés que nos lèvres sont mal faites*, va jusqu'à affirmer le Narrateur.

aura d'abord permis à Proust d'assouvir ses désirs de revanches meurtrières[1].

Les révélations sur les vices supposés de ce dernier nourrissent son rejet posthume. Ayant présenté Maurice Sachs à Le Cuziat, modèle de Jupien et propriétaire du bordel de la rue de l'Arcade où Proust avait installé les meubles de sa mère, Cocteau a été l'un des premiers à apprendre que *le petit Marcel* avait besoin de voir s'étriper des rats dans un piège pour atteindre au plaisir, à la fin de sa vie – à moins qu'ils ne soient criblés d'épingles à chapeau ou fouettés par un jeune homme. Comme tant d'autres, il n'a pas mis en doute ces récits. Proust ne passait-il pas pour exiger qu'une photo de sa mère soit placée bien en vue dans sa chambre, rue de l'Arcade – et la figure du parent profané n'est-elle pas récurrente, dans la *Recherche* ?

Ces rumeurs achèvent de convaincre Cocteau de la perversité intrinsèque de Proust : l'ami trop généreux de ses débuts avait tourné au vengeur infectant de fiel les louanges qu'il adressait à ses idoles, faute d'en recevoir des réponses dignes de son génie. Un pauvre être détraqué qui, en répudiant ses amis véritables, avait rompu tout rapport avec l'humanité. Coupant à son tour les ponts et les souterrains qui les rattachent encore, Cocteau ne voit plus en Proust qu'un étranger radical. Il cherche à rétablir la vérité sur *cet insecte atroce* qui aura

1. *L'on se demande pourquoi Marcel Proust-Dr Jekyll pardonnait à l'humanité de Dieu, et se changeait en Marcel Proust-Hyde, quand il créait une humanité dont il devenait à mesure le bourreau*, écrit Lucien Daudet.

englouti son entourage, à la façon des termites broyant des millions de brindilles, pour construire son ultime demeure.

N'aimant plus que les personnalités *droites* et les œuvres *pures*, avec le déclin de ses désirs, Cocteau se retourne contre tous ceux qu'il a trop souvent loués. La perversité amoureuse de Sachs, la cruauté conjugale de Picasso, le plaisir que prend Gide à tirer un enfant en guenilles de sa mansarde, à soixante-dix ans passés, lui répugnent désormais. L'omniprésence du Mal hante cet homme fier d'avoir une sexualité *saine*, dirigée vers des adultes consentants. Certain de sa *propreté morale*, heureux d'avoir mis en scène des anges, non des ordures, il s'étonne : ne mériterait-il pas plus que Proust une forme de béatification ?

Comment les lecteurs ne voyaient-ils pas la *montagne de merde* que dissimule la *Recherche* ?

Le (critique)... est un destructeur, note Blanchot dans *Lautréamont et Sade. Il sépare nécessairement l'œuvre. Il la détruit en la rendant visible à elle-même*. Cocteau est devenu un trop bon critique. Ses livres sont devenus sa seule réalité, sa gloire, son ultime objet – tout ce que Proust lui souhaitait déjà en 1913 : les autres, en littérature, n'intéressent plus cet altruiste épuisé. Il est parvenu à cet âge où, le Narrateur dixit, l'on ne peut plus rien changer en soi et où notre passé, conservé par l'habitude, pèse si lourd sur nous et conditionne si bien nos actions qu'à chaque instant de notre vie nous ne sommes plus que les *descendants* de nous-mêmes. Né divers, Cocteau finit seul. *Chaque artiste semble ainsi comme le citoyen d'une patrie inconnue, oubliée de lui-même, différente de celle d'où viendra, appareillant pour la terre, un autre grand Artiste*, ajoutait Proust.

Sans doute le désir d'en finir publiquement avec la *Recherche* traversa-t-il Cocteau, mais il n'eut jamais le courage de passer à l'acte. Il n'éprouvait pas le besoin de tuer ses victimes, contrairement à son aîné : il avait toujours été plus abondant et inventif dans la louange. L'un des derniers écrivains à faire de vraies réserves sur l'œuvre de Proust, il préfère déguiser son jugement.

La mort approchant, il en vint pourtant à voir les heures passées à rire et disputer avec Anna de Noailles comme les plus heureuses de sa vie lorsque, exaltés par leurs dons respectifs, ils fusionnaient verbalement en une sorte d'entité androgyne autosuffisante. Il n'avait que vingt ans, mais D'Annunzio, Edith Wharton et Marinetti le tenaient déjà pour un prodige, Jacques-Emile Blanche pour un génie, et Proust le fêtait comme l'écrivain accompli que lui-même n'imaginait pas devenir un jour !

Des amitiés qu'il noua avec les plus grands créateurs du XXe siècle, ce dernier fut sans doute l'une des plus marquantes. Il écrivit d'ailleurs bien plus sur lui que sur l'auteur des *Eblouissements*, à travers ses articles et son journal (ces textes feraient la matière d'un volume passionnant). Jamais pourtant Cocteau ne rendra à l'auteur de la *Recherche* un hommage aussi chaleureux que *La Comtesse de Noailles oui et non* qu'il écrit en 1962, son dernier livre publié. L'œuvre de la poétesse a beau sombrer dans l'oubli et celle de Proust prendre une envergure phénoménale, il veut croire encore à un retournement possible.

La postérité doit savoir qu'il a existé, dans le Paris de 1910, un génie injustement sous-estimé…

Qu'aurait-il pu dire de neuf sur Proust, du reste ?

Le sujet était comme éventé.

Quiconque aborde aujourd'hui la *Recherche* ne lit évidemment pas le même livre que Cocteau. Il plonge dans une somme dont l'interminable accouchement lui a été épargné, comme les doutes qu'il inspirait à son auteur. Plus qu'une œuvre, il explore un continent cartographié depuis un siècle et grouillant d'ouvrages adjacents, d'études littéraires et de traités philosophiques qui l'ont d'autant augmenté, qu'ils soient signés Walter Benjamin, Georges Poulet, Maurice Blanchot, Gérard Genette, Gilles Deleuze, Serge Doubrovsky ou Elizabeth Ladenson. Il est fort du *Contre Sainte-Beuve* qu'un éditeur publia en 1954, en rassemblant arbitrairement des textes épars de Proust[1], et qui aida la Nouvelle Critique à décréter « la mort de l'auteur » et l'autonomie intrinsèque de l'œuvre, en plein moment structuraliste. Il s'engage dans une somme dont les contradictions elles-mêmes sont célébrées et au sujet de laquelle personne n'aurait plus l'idée de faire la moindre réserve. Il contribue à améliorer ce monument inachevé, en lui prêtant toutes les vertus…

Le petit Marcel que fréquenta Cocteau n'est plus qu'un vague souvenir, le grand Proust l'a partout emporté. Son rejet de toute lecture biographique s'étant

1. Bernard de Fallois réunit aussi bien des essais que des ébauches de scènes, réelles ou fictives, développées dans la *Recherche*.

largement imposé, nous n'entrons plus qu'avec une sorte de honte dans son intimité. Les proustiens les plus radicaux tendent même à présenter Marcel Proust comme un être de fiction à qui ses « auteurs » – Cattaui, Maurois, Painter, Diesbach, Citati... – prêteraient à chaque biographie une existence et une conscience nouvelles. Le seul Proust réel, à leurs yeux, est le Narrateur ; le reste n'est que fumée.

La lecture de Cocteau paraît forcément pauvre, artisanale, platement humaine, en comparaison de ces trésors critiques. Hantée par l'ombre du *petit Marcel*, elle trahit les limites d'un auteur qui croit encore, malgré l'extraordinaire variété formelle de sa propre production, à une équivalence directe entre un écrivain et ses livres – un credo romantique dont Proust avait su se défaire, pour s'universaliser.

Mais sans doute Cocteau tenait-il trop à l'existence, malgré les déconvenues qu'elle lui aura infligées, pour s'imaginer disparaître intégralement dans son œuvre et lui donner la substance inimitable que Proust insuffla à la *Recherche.* Tout comme il était trop peu chrétien pour accorder à son vieil ami cette forme de sainteté qu'on lui confère si largement aujourd'hui. Il ne pouvait oublier le salonnard obséquieux et l'ami suffoquant, en le lisant. Il les retrouvait derrière l'éternel enfant traquant, à travers ses souvenirs, la pureté fondatrice de son âme antésexuelle. Il en savait bien trop long sur lui pour adhérer au culte qu'il commençait de susciter, après être monté au paradis près de Céleste la bien nommée.

Plus le temps passait, pourtant, plus le sacrifice de

Proust s'avérait payant. Son œuvre s'imposait comme la seule vie qu'il ait jamais vécue, tandis que les créations de Cocteau étaient perçues comme les produits épars d'une existence d'exception, toujours plus sincère et douloureuse mais fragmentée, semblables à des prélèvement existentiels stylisés, miroitants comme le mica. Le premier avait eu l'assurance que sa mort allait mettre au monde un écrivain immortel ; trente ans plus tard, le second espérait encore ressusciter à chaque livre, à chaque chapelle, à chaque film, tout en étant certain de la profonde unité poétique de son œuvre.

Cocteau avait du moins la consolation d'avoir vécu pleinement, au contraire de son aîné. Existerait-il un appareil à mesurer les intensités heureuses, et brancherait-on cet *euphorigramme* sur leurs tempes, à la veille de leur disparition, il l'aurait emporté haut la main.

Littérairement, c'était beaucoup moins certain…

Témoin hyperbolique d'une mauvaise vie rédimée par sa métamorphose écrite, la *Recherche* est devenue l'un des évangiles majeurs de la religion littéraire qui naquit sous les auspices lunaires de Nerval et culmina avec l'apparition de l'étoile Mallarmé et de la comète Rimbaud. Sanctifiée par l'offrande exhaustive que Proust aura faite de son corps et de sa vie, miraculeusement changée en œuvre-toute-bonne, elle atteste du miracle qui change parfois un être en littérature. Alors que Dieu s'est fait homme pour racheter nos péchés, un mortel est devenu Livre pour les exposer au grand jour. Nous lui rendons grâce d'avoir su se sacrifier, sous les bandelettes de la *Recherche*…

Si décevante soit-elle, la lecture de Cocteau encourage pourtant à garder une certaine distance laïque. Car la sanctification de Proust repose aussi sur ses dénégations érotiques et ses malheurs terrestres, même si elle a de profondes racines littéraires. Sans parler de la chance qui le fit mourir *avant* la généralisation des appareils d'enregistrement : jamais filmé ou phonographié, rarement pris en photo, le *petit Marcel* a disparu physiquement de nos consciences au profit du saint littéraire qu'il rêvait de devenir – tout l'inverse de Cocteau, qui eut le temps de voir mille appareils éterniser ses gestes terrestres et sa voix mondaine et qui, warholisé avant l'heure, paraît parfois daté, dans sa surexposition.

Malgré ses injustices et ses limites, le jugement de Cocteau nous pousse à interroger la légitimité du distinguo radical que la Nouvelle Critique, prenant le relais de la religion littéraire, a érigé en dogme. Proust voyait l'œuvre naître du « *moi* profond qu'on ne retrouve qu'en faisant abstraction des autres (...), qu'on sent bien le seul réel, et pour lesquels seuls les artistes finissent par vivre, comme un dieu qu'ils quittent de moins en moins et à qui ils ont sacrifié une vie qui ne sert qu'à l'honorer ». Mais, si ce *moi* profond n'avait rien à voir avec le « simple » Marcel Proust qui fréquenta le Tout-Paris, quelle place occupe l'auteur des lettres postées depuis le boulevard Haussmann que Cocteau reçut par dizaines ? Et quelle est la nature de cet être-là, pour reprendre les querelles touchant au propre de Jésus qui agitèrent les débuts du christianisme (Dieu incarné, fils de Dieu ou homme divinisé) ?

Etait-il simplement *le petit Marcel*, cet homme fait de chair, de sang blême et de barbe poivre et sel ? Ou était-il déjà le Narrateur, lorsqu'il livrait sa conception de la littérature ou reprochait à Cocteau la sienne, dans des passages recoupant les textes qui allaient nourrir le *Contre Sainte-Beuve* et resurgir parfois dans la *Recherche* même ? Faudrait-il parler d'une chimère faite aux deux tiers de Marcel Proust, en charge des potins et des réprimandes, et pour l'autre tiers du Narrateur, pour les sujets plus théoriques ? Evoquer un compromis *fifty-fifty*, dans les quelques missives à haute teneur littéraire, comme dans les chapitres si personnels introduisant *Contre Sainte-Beuve*, « L'article dans *Le Figaro* » en particulier, où l'auteur reconnaît s'appeler Marcel Proust ?

Et que faire de ces lettres tardives où Proust emploie la première personne du singulier pour désigner le Narrateur de son roman ? Et de *Sodome et Gomorrhe II* où, partageant à nouveau la plume avec le Marcel Proust de chair, ce même Narrateur fait l'apologie de l'*ami le plus cher, l'être le plus intelligent, bon, et brave, inoubliable à tous ceux qui l'ont connu, Bertrand de Fénelon ?* Tout comme les conciles de Byzance s'épuisaient à définir le sexe des anges, un plein colloque peinerait à définir l'identité de cette chimère, digne de la chauve-souris de La Fontaine : on ne se débarrasse pas si aisément du *vieil homme* dont saint Paul souhaitait tirer l'homme nouveau.

Proust était-il entièrement convaincu de sa thèse, d'ailleurs ? Il n'en fut pas le meilleur défenseur, dans ce cas. Dans son bras de fer contre Sainte-Beuve, qu'il avait assez admiré pour fonder au lycée une revue baptisée *Le Lundiste*, il en vient à citer l'exemple de Balzac, que le critique du *Constitutionnel* avait effectivement méjugé, au même titre que Stendhal. Ayant lui-même de vraies réserves au sujet de *La Comédie humaine*, il cite largement une lettre où Balzac fait l'inventaire, avec le bagou et la suffisance du parvenu, des tableaux destinés à enrichir l'hôtel qu'il doit aménager avec Mme Hanska. « Fouillant » sans vergogne dans la correspondance privée de l'homme, afin d'asseoir ses réserves sur l'écrivain, Proust ajoute cette phrase révélatrice : *La vulgarité de ses sentiments est si grande que la vie n'a pu l'élever.*

Si Proust peut si manifestement sainte-beuviser, au cœur même de sa charge *Contre Sainte-Beuve*, c'est que l'homme et l'écrivain ne sont pas si clairement dissociés, dans son esprit. A moins qu'il ne considère l'auteur des lettres de Balzac comme étant déjà le narrateur de *La Comédie humaine* (ce qu'il semble confirmer en ajoutant un peu plus loin : *Il n'y a pas lieu ici à séparer sa correspondance de ses romans*). Dans les deux cas, il est le premier à franchir la ligne de démarcation qu'il aura si ardemment voulu ériger à son sujet[1].

Jamais il n'aura respecté son distinguo en ce qui concerne Cocteau, quoi qu'il en soit. L'auteur du *Prince frivole* était bien le jeune homme à qui il reprochait de trop aimer les marrons glacés ; et l'adulte qui eut

1. J'en fais l'hypothèse ici : c'est son changement d'attitude envers l'œuvre de Balzac, décisive dans l'élaboration de la *Recherche*, qui poussa Proust à rompre radicalement avec les thèses de Sainte-Beuve.

l'indélicatesse de faire des confidences sur ses mœurs à Mme de Chevigné était bien, en retour, l'auteur des *Portraits-Souvenir*. Comme la plupart des écrivains, Proust peinait à accorder aux autres le traitement qu'il exigeait qu'on lui applique ; et les confessions tardives de Cocteau, de *La Difficulté d'être* au *Journal d'un inconnu*, n'auraient sans doute fait qu'accuser cette confusion.

Comment fixer d'ailleurs le moment où la chenille littéraire se libère de son cocon biographique, où la nymphe prend son envol solitaire vers les rayons de la Pléiade ? Toutes les thèses deleuziennes sur les agencements et les postulats structuralistes sur l'*œuvre en soi* ne pourront le faire oublier : comme dans la plupart des mues ou des divisions, un livre laisse toujours une peau ou un reste, en se défaisant de son auteur.

Or cette peau est très loin d'être négligeable, dans le cas de Proust. Un Henry James, un Flaubert, qui se voulait *présent partout et visible nulle part* dans son œuvre comme Dieu dans la sienne, se firent bien mieux oublier. Sans parler de Tolstoï ou de Tchekhov, ou encore de Saint-Simon, que Proust admirait tant et qui paraît si rarement dans ses *Mémoires*, ou de ce Fabre qu'il vénérait, embusqué derrière ses termites et ses fourmis. Comment Cocteau aurait-il pu adhérer au dogme imposé par son impossible ami, selon lequel *l'homme qui vit dans un même corps avec tout grand génie a peu de rapport avec lui*, durant les quarante années où il eut la rude tâche de lui survivre ?

Tout en lui se cabrait devant ce besoin d'expulser de la *Recherche* l'être réel de Proust pour en faire une œuvre célibataire, que le Saint-Esprit aurait fécondée sans le recours d'aucune Vierge, sinon celle que Proust voulait redevenir, après sa sanctification littéraire. Comme s'il y avait d'un côté un être charnel et vulgaire, enclin aux on-dit, à la jalousie et aux vices, et de l'autre une pure âme de papier répandant l'odeur des Bienheureux ! Ici le vieil enfant peinant à faire le deuil du sein maternel et prêt à tout pour y retourner, crime compris, là l'adulte sacrifiant sa vie à son œuvre sanctifiante pour faire à jamais oublier le demi-Juif et l'inverti.

Cocteau n'est plus assez chrétien pour croire en une telle dichotomie. Il sait bien que l'Evangile selon saint Marcel a été écrit par un homme qui ne fut guère aimé, et qui n'eut d'autre solution que de mourir pour renaître littérairement. Et si son livre est grand, c'est précisément du fait de cette douleur assumée *: Jamais n'éclata chez lui cet héroïque pourtant avec lequel en général les créateurs s'élèvent contre leur souffrance*, note Walter Benjamin.

Savants et professeurs rêvent d'une œuvre nettoyée de toute sanie biographique. Au nom de cette foi que la République érigea en religion nationale au détriment du catholicisme, à la majorité de Proust précisément, ils veulent un champ d'étude littéraire épuré, un auteur abstraitement désincarné. Mais leurs thèses sentent trop le victorianisme pour nous satisfaire pleinement aujourd'hui. Habitués à vivre ouvertement nos désirs, comme à assumer notre ambiguïté morale, nous peinons à séparer aussi radicalement l'œuvre écrite de l'expérience vitale. Nous sentons bien, dans le cas de Proust, tout ce que la première doit aux interdits qui bridaient sa sexualité ; c'est parce qu'il l'a conçue *contre* ses désirs et au détriment de sa vie qu'elle nous en impose comme sa Résurrection de papier.

Reste à savoir ce qui se trame lorsqu'un homme se transforme en œuvre, quelles mutations « génétiques » entraîne cette étrange nymphose. Le « simple » Marcel Proust aurait-il définitivement disparu, après avoir accouché de l'œuvre sacrée qui devait le sauver de l'oubli et de la mort, tout comme le corps périssable du roi laisse vie, en agonisant, au corps transhistorique de la monarchie ? Ne persiste-t-il pas au contraire à nous faire signe, au cœur de sa cathédrale, fort de son énigme fascinante, de sa lumineuse obscurité ?

En attendant d'en dire plus, baptisons Narraproust l'hybride qui rédigea ses lettres les plus littéraires, *Les Plaisirs et les Jours*, *Jean Santeuil*, les *Pastiches et Mélanges* et autres écrits épars qui allaient former *Contre Sainte-Beuve*. En lui cohabitèrent le *petit Marcel* et le grand Proust, le snob lancinant et le Savonarole anti-mondain, le sadique de la rue de l'Arcade et le Bienheureux de la rue Sébastien-Bottin, dans des proportions que lui-même aurait peiné à fixer. Ne note-t-il pas que coexistent dans l'œuvre de Balzac *non digérés, non encore transformés, tous les éléments d'un style à venir qui n'existe pas* ? En Narraproust grouillaient tous les personnages que *le petit Marcel* n'avait su faire vivre, et que le Narrateur de son livre allait individualiser et paradoxalement imposer pour toujours, en se donnant à son œuvre avec un dévouement digne des Bienheureux de son enfance.

Sans doute en faudra-t-il plus pour faire douter de l'absolue sainteté de l'écriture et obliger le reliquat de religion littéraire à assouplir son droit canon. Peut-être devrait-elle inaugurer une zone tampon entre le *no man's land* biographique et le territoire sacré du Livre, comme le fit le christianisme en créant entre le paradis et l'enfer les limbes, pour accueillir l'âme des enfants morts avant baptême. On pourrait y trouver, aux côtés du Narrateur, ces êtres autofictifs que sont le Stendhal de *La vie de Henry Brulard,* le Musset des *Confessions d'un enfant du siècle*, le Céline du *Voyage au bout de la nuit* et le Genet de *Notre-Dame-des-Fleurs* – pour rester sur notre territoire.

Dans l'attente de cette hypothétique Réforme, rappelons la déclaration si candide et anti-proustienne *a priori* de Degas : *Il y a l'amour. Il y a l'œuvre. Et nous n'avons qu'un seul cœur.* Sa simplicité apparente, parce qu'elle pourrait passer pour de la bêtise, aurait précisément pu toucher Narraproust.

La seconde vie

Les décennies qui suivirent la mort de Cocteau ne changèrent guère la donne. Il restait l'auteur fétiche des *Enfants terribles* et de *Thomas l'Imposteur*, le cinéaste admiré du *Sang d'un poète* et de *La Belle et la Bête*, mais aussi l'artiste en miettes que personne ne semblait pouvoir « ramasser ». Malgré les efforts de certains centres universitaires, de Montpellier à la Belgique, la critique savante continuait de réprimer un dégoût devant cet Arlequin trop changeant pour ne pas inquiéter. Je lui consacrai un livre pour rétablir la balance.

Reconstituer la vie d'un autre écrivain est une expérience étrange. Il faut sortir de soi pour s'insinuer en lui, sacrifier une part de sa personnalité pour mettre ce *moi* en jachère à son service. A force d'assimiler l'œuvre de Cocteau et de m'imbiber des journaux et des lettres qu'il laissa, j'acquis l'impression de le connaître *de l'intérieur*. Il me semblait en savoir plus sur cet être étrange que sur la plupart de ceux et de celles avec qui j'avais pu vivre – y compris moi-même. L'ayant vu naître, s'épanouir, briller haut et fort dans le ciel de la capitale, souffrir en amour et s'exténuer à écrire, de 1889 à 1963, il me semblait le connaître *du berceau à la tombe.*

Son problème tenant en bonne part à sa variabilité, je tentais de lui redonner sa cohérence. Pour qu'on prenne enfin au sérieux un créateur aimant changer de forme autant que de genre, en passant de la tradition à l'avant-garde, je dus tracer une ligne continue à travers ses métamorphoses. Anxieux de lui redonner toutes ses chances, en le remettant en vie, j'en vins à me comporter comme une seconde mère. Je faisais tout pour qu'il serve au mieux ses intérêts, cette fois ; je le montrais aussi attentif à construire son univers que soucieux de la gloire des autres, de Proust à Genet. C'était sur son art autant que sur son humanité qu'on allait le juger, au terme de cette seconde existence, et je tenais à ce qu'il emporte ce procès en appel. Certain qu'il ne survivrait pas à une nouvelle condamnation, je fis tout pour redonner son unité poétique à ce créateur pluriel.

Les divers Cocteaux étaient dispersés entre les chapelles qu'il peignit, les ouvrages qu'il signa, les films qu'il réalisa ? Conforté par l'exemple de Proust, qui récapitula en un livre la personnalité la plus disparate qui soit, j'allais les tirer de leurs sépultures pour leur ériger un seul mausolée. Poussé par le besoin d'offrir un tombeau à ceux qui me semblent insuffisamment reconnus, ou que je vis mourir sans qu'ils aient pu s'accomplir, je passai plus de quatre ans *en lui.*

Cette intimité m'a conféré un sentiment de puissance.

Je jouissais du savoir que donne un recul de plusieurs décennies et de la lucidité que je parviens rarement à mettre à mon profit. Sachant les conséquences du moindre de ses actes, j'étais capable de penser avec plus de discernement que lui ce qui lui arrivait. A la façon des spectateurs interpellant les acteurs dans les cinémas d'Orient, pour les prévenir contre les dangers qui les guettent, je me faisais l'impression d'être sa conscience achevée, son *moi* réalisé.

Je passais mes journées à ses côtés, dans les coulisses des Ballets russes, ou la chambre de liège de Proust. Je voyais Picasso peindre les décors de *Parade* sous son regard, Radiguet ébaucher *Le Diable au corps* sous ses encouragements, et Panama Al Brown retrouver le titre de champion du monde des poids coqs grâce à son zèle. Je m'insinuais en lui, alors qu'il courait sur les plages du Picquey ou de Carqueiranne – un corps que la critique littéraire préfère encore tenir à l'écart, de peur d'entacher l'œuvre. J'essayais de le rendre le plus vivant possible, le plus réel aussi, loin du puritanisme anti-biographique hérité de Proust, que les Vies d'inspiration anglo-saxonne relancent en nous étouffant sous les détails.

Durant quatre ans je naviguais à l'intérieur de la personnalité de Cocteau, avec des moyens parallèles à ceux du roman. Il s'y révéla si vibrant de dons, si inventif et obstiné à conjurer sa *difficulté d'être*, si généreux aussi, que je ressortis de cette vie commune en l'estimant infiniment plus qu'en y entrant. *Puis on a commencé de l'aimer,* disait Proust de Balzac, *alors on sourit à toutes ces naïvetés qui sont si bien lui-même ; on l'aime, avec un tout petit peu d'ironie qui se mêle à la tendresse : on connaît ses travers, ses petitesses, et on les aime parce qu'elles le caractérisent fortement.* L'homme aide parfois à comprendre l'œuvre, pour finir...

La vie est rarement vécue comme réelle, j'en eus la confirmation. Notre imaginaire la contamine au point de lui donner une dimension fictive, avant que le regard d'autrui ne revienne lui accorder un semblant de solidité. Il y a toujours une vacance, au cœur de l'expérience existentielle, un vide plus que propice à la pensée – Proust avait pensé baptiser son livre *La Vie rêvée*. Plus que d'autres encore, le créateur a le sentiment d'être un personnage mû et pensé par des forces supérieures, destiné à offrir son existence en pâture. Le hasard, la fatigue, les rencontres et les ruptures, les voyages et la maladie influent sur sa trajectoire plus que sa volonté ; s'il est seul à écrire, peindre ou filmer, des milliers de ficelles contribuent à infléchir sa pensée : il sait ce qu'il veut, pas ce qu'il fait.

Sait-il même qui il est ?

Proust doutait encore plus que Cocteau de sa propre réalité. Il avait l'impression de n'être qu'un ramas d'expériences disparates, une superposition d'êtres que rien ne raccordait. Avec son regard à facettes de guêpe tueuse, il se faisait l'effet d'être un feuilleté ou un *composite*, des mots qui reviennent sans cesse sous sa plume. Il évoluait dans le brouillard de ses possibles, tel un personnage moins en quête d'auteur que de livre, comme il y en a tant dans la *Recherche*. Son intelligence centrifuge semblait lui interdire toute ressaisie harmonieuse, toute réconciliation sereine, toute assurance ordinaire. Affublé d'un *moi* en extension permanente, il finit par répondre à ses embardées par une œuvre-puzzle.

Mais si sa grandeur fut de rester d'une incroyable humilité, dans l'aveu de sa fragmentation, celle de Cocteau fut de n'avoir jamais montré de prudence, dans son exposition. L'aîné exploita tous les Marcel faillis ou déçus qu'il avait été, afin de nourrir les gisants de sa cathédrale, le cadet mit toute son énergie à fabriquer des petits Cocteaux, pour mieux les abandonner à leurs publics. Non content de se livrer à de précoces expérimentations sur lui-même qui le laissèrent en morceaux, il encouragea les métamorphoses dont il était l'objet avec une allégresse troublante. Il eut pour finir la rare capacité à être *tous ceux* qu'il renfermait potentiellement.

Si Proust le battit sur le fil, néanmoins, c'est qu'il réserva cette expérience protéiforme à son seul livre. Il lui permit de mener une vie imaginaire de débauche alors même qu'il se retirait dans le désert. Il y fit s'épancher l'uraniste tordu, mais aussi l'hétérosexuel fleur bleu qu'il s'était interdit de devenir, tout comme la lesbienne profanant l'image de ses géniteurs – l'emploi où il aurait pu le mieux s'épanouir, s'il avait eu la chance de naître femme. Il put y pratiquer toutes les sexualités sans plus avoir aucun sexe en particulier, y désirer iris, faux-bourdons et aubépines – sans parler des bibis de paille de la duchesse de Guermantes. Lui qui craignait de n'être pas plus doué pour l'essai que pour le roman, la critique ou la chronique, réussit par là à réconcilier tous les genres, au cœur d'une cathédrale illuminée par sa religion de l'art, comme par tous les êtres passés et à venir qu'il portait en lui.

Qu'importe si cette nef défie les normes de l'architecture, si le chœur s'accorde mal aux chapelles et si l'orgue surpuissant libère parfois de fausses notes. Qu'importe si Bergson lui-même, dont Proust passa longtemps pour le disciple, put lui reprocher de n'avoir pas su se ressaisir tout *unanimement* dans le temps et l'espace, et si le lecteur éprouve encore une forme douloureuse de discontinuité, à rebours de la fluidité mélodique qui fait le confort des grands romans ordinaires : la cathédrale joue son rôle sanctifiant, avec son ange *au sourire détruit* (Albertine), ses saints, ses *damnées* et ses *gargouilles,* comme l'avait pressenti Cocteau. Et le Narrateur y rayonne de pureté perverse, dans son cénotaphe de verre, sous la protection de l'anonymat.

Ce rassemblement inespéré suscita indéniablement la jalousie de Cocteau. Lui qui cherchait à se renouveler, sans jamais craindre de se disperser, préférait le risque de devenir méconnaissable à l'assurance de se perpétuer. Il persista à voir dans le Narrateur l'accumulation invivable de tous les Proust que Paris avait ignorés, le ruskinien et le montesquiouste, l'homosexuel coupable et l'hétérosexuel virtuel, le snob maladif et le grand masturbateur, la jeune fille en fleurs et le *would-be* vieillard vicieux, la grand-mère envahissante et le domestique obséquieux. Il lui dénia d'être parvenu à devenir quelqu'un d'autre à travers le Narrateur, et tous les autres en un seul livre. Plus les savants cathédralisaient son œuvre, plus Cocteau détricotait les fils romanesques que Proust avait mis quinze ans à assembler.

L'un et l'autre avaient presque trop à dire pour faire de bons écrivains, *a priori*. Seule l'épreuve drastique de l'écriture leur permit de décanter cette pléthore sensible et de conférer à leur personne ce minimum de permanence sans laquelle elle se serait effondrée. Mais cette entreprise titanesque encouragea aussi le mal qu'elle devait conjurer : difficile de se faire une identité solide quand on doit accoucher aussi d'une œuvre d'une telle étendue.

Proust et Cocteau se posèrent pour finir la même question, à une génération de distance : comment composer le récit devant les définir ? Ce dernier s'avérant impossible, que faire, sinon en tirer d'autres récits, plus ou moins fictifs, afin de s'assurer une autre forme de survie ?

Mal séparés de mères adorées, potentiellement victimes de quiconque semblait pouvoir les remplacer, l'un et l'autre ne trouvèrent un semblant de légitimité que dans l'œuvre qu'ils s'acharnèrent à concevoir, avec une abnégation et un amour que j'aurais encore envie de qualifier de maternels, l'un gavant son livre, l'autre cherchant à faire maigrir les siens.

Les choses s'arrangèrent au début de ce siècle, pour Cocteau. La grande rétrospective que le Centre Pompidou lui consacra, pour le quarantième anniversaire de sa mort, révéla en même temps que ma biographie, à des milliers de visiteurs intrigués, la richesse d'un univers littéraire, théâtral et (cinémato)graphique proliférant, mais aussi la cohérence d'une esthétique réunissant dans sa ronde bizarre fantômes et marins, boxeurs et fées.

Justice lui était enfin rendue.

Longtemps Proust avait été seul à être honoré, dans la maison familiale d'Illiers-Combray où il passait l'été, enfant. Aujourd'hui, deux musées célèbrent Cocteau, l'un dans sa maison de campagne de Milly-la-Forêt, l'autre dans le vaisseau que l'architecte Ricciotti a ancré à Menton, sous un soleil quasi permanent. Son œuvre a enfin rejoint celle de Proust dans le panthéon de la Pléiade, qu'héberge la maison d'édition qui les avait séparés. Le discrédit où il était tombé, dans les années 60-70, est derrière lui ; l'allergie qu'il suscite encore, çà et là, contribue même à faire de lui un des auteurs les plus vivants du XXe siècle.

Sans doute le public continuera-t-il de se montrer moins intimidé par les « chapelles » peintes par Cocteau que par cette cathédrale proustienne qu'il risque, comme celles de Reims ou de Saint-Denis, de ne jamais avoir le temps de visiter. Héritier d'un imaginaire monarchique et chrétien, il restera plus sensible à ce monument conforme à ses attentes centralisatrices. Plus la *Recherche* lui paraîtra difficile à lire, plus il lui conférera même de prestige, j'en fais le pari, et plus l'Université célébrera dans Proust le créateur qui s'acharna à donner à la vie la signification supérieure, quasi divine, qui lui manque au naturel. Il en sera de ce dernier comme de saint Denis ou de saint Martin : il continuera à servir à baptiser des boulevards critiques, mais il sera de moins en moins visité. Car les saints meurent aussi ; l'immortalité ne leur est pas plus garantie qu'aux académiciens. Qui connaît encore la trajectoire du véritable saint Marcel, hormis quelques théologiens ?

Cocteau mena une aventure littéraire plus moderne, en comparaison. Son œuvre est faite de plumes de couleur, plus que de pierres de taille. Elle n'a jamais atteint le stade de respectabilité qui fait de la *Recherche*, à l'égal du Coran ou du *Scientology 8-8008* de Ron Hubbard, un livre intouchable. Elle garde la fraîcheur du vivant, avec ses défaillances, sa variété et ses bonheurs. Elle ne suscite pas cette dévotion qui étouffe l'immense auteur comique qu'est Proust sous l'Evangéliste du Livre total. On découvrira encore Cocteau au hasard d'une promenade chez les bouquinistes ou d'une navigation sur le Net. Il restera cet élève buissonnier qui ne connut jamais les bancs de la faculté et qui chantait *a cappella*, non *ex cathedra*.

Le recul aidant, Proust et lui m'évoquent les nuages qui se déforment dans le ciel, plus que les statues qu'on a cessé d'ériger en l'honneur des écrivains, l'insaisissable Montaigne compris, un de leurs modèles littéraires communs. Si l'on peut « devenir » eux en les lisant, et si j'ai pu « être » un temps Cocteau, via ce processus de fusion que connaissent les lecteurs dotés d'une forte empathie, c'est bien parce qu'il y avait en eux de la place pour autrui. Et s'ils choisirent de faire œuvre, c'est parce qu'ils souhaitaient laisser en nous la trace que la vie peinait à inscrire en eux.

L'obligation littéraire de dire *je*, en tout temps et en tout lieu, leur a pour finir donné cette consistance inimitable qui leur vaut d'être encore évoqués, à travers le monstrueux effort accompli par Proust dans la *Recherche* et le combat héroïque de Cocteau pour s'imposer. Au nom de ce dernier, désormais, il ne se lève plus qu'une main.

Si le style est la révélation écrite, sonore ou visuelle de l'abîme *qualitatif* qui sépare nos perceptions respectives du monde, mais qui resterait sans l'art le secret éternel de chacun, comme Proust en était convaincu, le style Cocteau est définitivement advenu.

Le petit Marcel en aurait été heureux, je crois.

Quoique…

Le venin est dans la queue

Proust fut injuste avec Cocteau. Son enthousiasme initial passé, il ne l'estima pas à sa vraie valeur artistique, douta de sa profondeur. Le temps ayant détruit toute empathie en lui, il dénonçait encore le Parisien versatile que Cocteau avait cessé d'être depuis longtemps. Il ne connut certes qu'une part réduite de son œuvre, qui devait se prolonger près d'un demi-siècle. Mais il préféra faire de lui le bouc émissaire des défauts qu'il était en train de surmonter, plutôt que le complice de sa métamorphose : la vengeance est consubstantielle à l'amour, suggère avec insistance la *Recherche*.

Aima-t-il vraiment Cocteau, alors ? La question peut se poser, comme pour presque tous les élus qui subirent ses élans contradictoires. Je continue de penser que *le petit Marcel* l'admira sincèrement, tant qu'il douta de lui-même. A moindre titre que Sainte-Beuve, les Goncourt ou Montesquiou, Cocteau fut l'un des écrivains qu'il s'évertua à imiter, dépasser, puis éliminer (Lucien Daudet et Reynaldo Hahn n'échappèrent au jeu de massacre final que parce que Proust n'avait rien à leur envier, littérairement). Tout comme les aubépines de Combray, les trois arbres d'Hudimesnil ou la comtesse de Chevigné, Cocteau subit la voracité d'un écrivain qui, incapable d'appréhender physiquement les êtres qui l'attiraient, les broya dans ses mortiers, afin de leur donner *sa* signification, et tua symboliquement tout ce qu'il avait aimé, afin de tout recréer à sa façon. Pour mieux s'affirmer en grand méchant *loup*, *le petit Marcel* avait substitué le crime littéraire au plaisir sexuel.

Les vies parallèles de Cocteau et de Proust me semblent révélatrices du cannibalisme régnant entre créateurs. La fécondité artistique ne résulte pas d'une opération célibataire, comme on le croit parfois ; tout comme sa rivale naturelle, elle naît des relations qu'un artiste noue avec ses idoles, ses proches, sa génération. Quoique ayant l'âge d'être son fils, Cocteau fut l'un des innombrables modèles qui poussèrent Proust à se surpasser, dans son mimétisme prédateur. Son style fut l'un des pollens dans lesquels ce faux-bourdon planta son dard ; on en trouve parfois trace dans l'épaisseur de son miel composite.

Comme celle des bêtes, leurs vies parallèles nous ramènent à cette lutte impitoyable pour la survie qui anime les espèces, y compris littéraires. Vivants, tous deux s'aimèrent jusqu'à ce que la porte d'une maison d'édition, en s'ouvrant à l'un, exclue l'autre. Morts, ils luttent encore pour occuper la plus grande place possible dans nos bibliothèques.

Cocteau n'a pas démérité de l'admiration initiale de Proust, en fin de compte. Il a mené sa démarche créatrice avec une détermination et un héroïsme comparables aux siens. Il a su exprimer *in extenso* sa sensibilité et a fini également en fantôme, rongé par sa dépendance à l'opium et son sentiment d'injustice. Cet homme épuisé a besoin de nous ; Proust, ce tueur, pourrait presque s'en passer.

Si j'aime le premier, c'est qu'il me fait une place dans son œuvre, m'encourage à remplir les pointillés qu'il y a laissés. Si je redoute le second, c'est que son intelligence envahissante et sa sensibilité tentaculaire m'obligent à penser comme lui, me ramènent à l'état de simple lecteur, me colonisent de façon inquiétante. J'ai pu m'imaginer par instants Cocteau ; « devenir » Proust me semblerait une forme d'abdication mortelle, pour un écrivain : il tue qui le lit, en se substituant à lui.

Toxique, ce dernier le fut pour lui-même, autant que pour ses proches. Il poussa si loin le sacrifice de soi que d'assassin, il réussit à se faire reconnaître comme saint. Il mit la barre si haut qu'un écrivain, depuis, se doit presque de mourir avec son livre. Il ne vivait plus que pour se ressouvenir ; il faut savoir l'oublier pour vivre.

TABLE

Cet ouvrage a été imprimé en France
par CPI Bussière
à Saint-Amand-Montrond (Cher)
en octobre 2013

Composé par Nord Compo Multimédia

N° d'édition : 18051. — N° d'impression : 2005700.
Première édition : dépôt légal : août 2013.
Nouveau tirage : dépôt légal : octobre 2013.